Los 5 Lenguajes™ del amor

EDICIÓN PARA HOMBRES

El secreto del amor
que perdura

GARY CHAPMAN

Publicado por
Editorial Unilit
Miami, FL 33172

Primera edición 2008 – Edición bolsillo
Primera edición 2011 – Edición Serie Favoritos

Originalmente publicado en inglés por Northfield Publishing con el título:
The Five Love Languages: Men's Edition por Gary Chapman.

Traducción: Dr. Andrés Carrodeguas
Diseño de la portada: Smartt Guys design
Fotografía de la portada: Michael Kemter, iStockphoto
Fotografía del autor: Alysia Grimes Photography

Producto 496895
ISBN 0-7899-1751-3
ISBN 978-0-7899-1751-5

Impreso en Colombia
Printed in Colombia

Categoría: Vida cristiana /Relaciones /Amor y matrimonio
Category: Christian Living /Relationships /Love & Marriage

A Karolyn,
Shelley y Derek

Palabras de afirmación

Regalos

Tiempo de calidad

Actos de servicio

Toque físico

CONTENIDO

Palabras de afirmación

Regalos

Tiempo de calidad

Actos de servicio

Toque físico

RECONOCIMIENTOS

El amor comienza, o debe comenzar, en el hogar. A mí eso me habla de Sam y Grace, mis padres, que me han amado durante más de cincuenta años. Sin ellos, yo estaría buscando aún el amor, en lugar de escribir acerca de él. El hogar también es Karolyn, con quien llevo más de treinta años de casado. Si todas las esposas amaran como ella, serían muchos menos los hombres que estarían mirando al otro lado de la cerca. Shelley y Derek ya salieron del nido y andan explorando mundos nuevos, pero su cálido amor me hace sentir seguro. Me siento bendecido y agradecido.

Estoy en deuda con un buen número de profesionales que han influido en mis ideas acerca del amor. Entre ellos se encuentran los psiquiatras Ross Campbell, Judson Swihart y Scott Peck. En cuanto a ayuda editorial, estoy en deuda con Debbie Barr y Cathy Peterson. La experiencia técnica de Tricia Kube y Don Schmidt hizo posible que cumpliera con las fechas fijadas para la publicación. En último lugar, aunque sean los más importantes, quiero expresarles mi gratitud a los centenares de parejas que, a lo largo de los últimos veinte años, han compartido conmigo el lado íntimo de su vida. Este libro es un tributo a su sinceridad.

Palabras de afirmación

Regalos

Tiempo de calidad

Actos de servicio

Toque físico

INTRODUCCIÓN

NO HACE MUCHO, ESCUCHÉ UNA HISTORIA ACERCA DE UN JOVEN HOMBRE de negocios de Texas. Durante una conversación con un amigo, le confesó exasperado: «Es que ya no sé qué más hacer para convencer a mi esposa de que la amo. Tiene una casa hermosa, tres hijos maravillosos, escuela privada y tranquilidad económica. Al parecer, no le basta con eso. Lo que quiere en realidad es hablar —no conversar acerca de las cosas que se necesita hacer en la casa, o dónde ir cuando lleguen las vacaciones de los muchachos— quiere una conversación *real*, aunque no sé de qué está hablando. El problema está en que yo no soy de los que hablan mucho. Sencillamente, ¡yo no soy así!».

Dondequiera que voy, oigo historias parecidas acerca de los esposos. Cada vez que oigo una, pienso que debería tener una edición de *Los cinco lenguajes del amor* en un formato especialmente atractivo para los hombres. El libro que usted tiene en las manos es una respuesta a ese pensamiento. Northfield Publishing y un servidor nos hemos unido para traerle ahora *Los cinco lenguajes del amor... Edición para hombres*.

Todos los hombres casados que conozco querrían que su esposa fuera feliz en su matrimonio. Cuando se casaron, tenían la intención de hacerla feliz y la esperanza de que ella les respondiera de igual manera. Muchos de los esposos que he ido conociendo, sienten que lo han intentado sinceramente, pero no han logrado crear un matrimonio feliz. Unos culpan a su esposa, mientras que otros se culpan ellos mismos.

Estoy convencido de que la felicidad en el matrimonio es un producto secundario que aparece cuando la persona se siente amada. Cuando éramos novios y nos hallábamos en ese eufórico estado se suele llamar «enamoramiento», ambos éramos felices. En realidad, como dijo un esposo, «fui más feliz que en ningún otro momento de mi vida». Esa sensación de felicidad genuina es la que nos ha llevado a todos al altar. Queríamos que esa euforia nos durara toda la vida.

Lamentablemente, todas las investigaciones señalan que la experiencia del «enamoramiento» se desvanece con el tiempo. Eso significa que es necesario alimentar un amor emocional. No obstante, la cultura ha hecho muy poco para ayudar a los esposos a comprender la naturaleza del amor y la forma de comunicarlo. Estoy convencido de que son miles los hombres que son sinceros al decir que quieren un matrimonio mejor, sienten que lo han intentado y no saben qué más hacer, como el joven de Texas. Este libro es para esos hombres.

A lo largo de los años, he trabajado con esposos y esposas, ayudándolos a aprender la forma de conectarse emocionalmente entre sí; cómo comunicar amor en el lenguaje que es significativo para la otra persona. Basado en treinta años de investigaciones clínicas y una vida entera de experiencia personal, he llegado a la conclusión de que solo hay cinco lenguajes principales del amor, cinco maneras de expresar amor emocional. Su esposa tiene un «lenguaje primario en el amor». Si usted habla ese lenguaje, ella se *sentirá* amada. Si falla en hablar ese lenguaje su tanque de amor estará vacío y la felicidad se desvanecerá.

En las siguientes páginas describiré los cinco lenguajes del amor y le mostraré cómo descubrir su lenguaje de amor y cómo descubrir y comenzar a hablar el lenguaje de amor que habla su esposa. Lo que está a punto de leer tiene el potencial de mejorar notablemente el clima emocional de su matrimonio. Aprenderá a comunicar el amor en el lenguaje de su esposa, y comenzará a ver un cambio en las actitudes y la conducta de ella. Una vez más, podría encontrarse viviendo con una mujer feliz. Si ella aprende a hablar su lenguaje de amor, ciertamente usted va a ser un hombre feliz.

Amar y ser amado; ¿qué podría ser más importante?

Palabras de afirmación

Regalos

Tiempo de calidad

Actos de servicio

Toque físico

¿Qué le sucede al *amor* después de la boda?

A DIEZ MIL METROS DE ALTURA, EN ALGÚN PUNTO ENTRE BUFFALO Y Dallas, puso su revista en el bolsillo del asiento, se volvió hacia mí y me preguntó:

—¿Qué clase de trabajo hace usted?

—Doy consejería matrimonial y dirijo seminarios para el enriquecimiento de los matrimonios —le contesté muy tranquilamente.

—Hace mucho tiempo que he estado queriendo hacerle esta pregunta a alguien —me dijo—. ¿Qué le sucede al amor después que uno se casa?

Abandonando mi esperanza de echar una siesta, le pregunté:

—¿Qué quiere decir?

—Bueno —me dijo—, —yo me he casado tres veces, y cada vez las cosas fueron maravillosas antes de casarnos, pero por algún motivo, después de la boda todo se venía abajo. Todo el amor que creía tener por ella, y el que ella parecía tener por mí, se evaporaban. Soy una persona más o menos inteligente. Me va bien en mi negocio, pero eso no lo comprendo.

—¿Cuánto tiempo estuvo casado? —le pregunté.

—Mi primer matrimonio duró unos diez años. La segunda vez estuve casado tres años, y la última, casi seis.

—¿Se evaporó su amor inmediatamente después de la boda, o se fue perdiendo de manera gradual? —quise saber.

—Bueno, la segunda vez todo fue mal desde el principio. No sé lo que pasó. Creía de veras que nos amábamos, pero la luna de miel fue un desastre, y nunca nos recuperamos. Solo habíamos llevado seis meses de novios. Nuestro romance fue un torbellino. Y fue realmente emocionante. Pero después de la boda, todo fue una pelea desde el principio.

»En mi primer matrimonio tuvimos tres o cuatro años buenos, antes de llegar el bebé. Después que nació el bebé, me pareció que ella le daba toda su atención, y que yo ya no le importaba. Era como si su única meta en la vida hubiera sido tener un hijo, y después de tenerlo, ya yo no le hiciera falta.

—¿Se lo dijo? —le pregunté.

—Sí, claro que se lo dije. Ella me dijo que estaba loco; que yo no comprendía el estrés que significa estar pendiente de un niño durante las veinticuatro horas del día. Según ella, debía ser más comprensivo y ayudarla más. Lo intenté con toda sinceridad, pero no pareció cambiar nada. Después de aquello, nos fuimos alejando el uno del otro. Al cabo de un tiempo, no quedaba amor, sino solo mortandad. Ambos estuvimos de acuerdo en que el matrimonio se había terminado.

»¿Mi último matrimonio? Yo pensaba de verdad que sería distinto. Llevaba tres años divorciado. Tuvimos un noviazgo de dos años. Yo pensaba realmente que sabíamos lo que estábamos haciendo, y que quizá por vez primera yo sabía lo que significa amar a alguien. Además, sentía que su amor por mí era genuino también.

»Después de la boda, no creo que yo haya cambiado. Le seguí manifestando mi amor, como antes de casarnos. Le hablaba de lo hermosa que era. Le decía lo mucho que la amaba y lo orgulloso que me sentía de ser su esposo. Sin embargo, unos pocos meses después de casarnos, se comenzó a quejar, primero por cosas pequeñas, como que yo no sacaba la basura, o no colgaba mi ropa. Más tarde, comenzó a atacar mi carácter, diciéndome que no le parecía que pudiera confiar en mí y acusándome de no serle fiel. Se convirtió en una persona negativa por completo. Antes del matrimonio, nunca había sido negativa. Era una de las personas más positivas que había conocido. Era una de las cosas que me atraían en ella. Nunca se quejaba de nada. Todo lo que yo hacía era maravilloso. En cambio, una vez casados, parecía que yo no podía hacer nada bien. Sinceramente, no sé lo que sucedió. Terminé perdiendo mi amor por ella y comencé a sentirme ofendido. Era obvio que no me amaba. Acordamos que no beneficiaba a nadie que siguiéramos viviendo juntos, así que nos separamos.

»Eso pasó hace un año. Por eso, mi pregunta es: ¿Qué le pasa al amor después de la boda? Esta experiencia mía, ¿es corriente? ¿Es por eso por lo que tenemos tantos divorcios en este país? No puedo creer que me haya pasado tres veces. Y los que no se divorcian, ¿aprenden a vivir con todo ese vacío, o hay matrimonios en los que el amor sigue realmente vivo? Si es así, ¿cómo?

Las preguntas que me estaba haciendo mi amigo sentado en el 5A son las que hacen hoy miles de personas casadas y divorciadas. Algunos se las hacen a sus amigos; otros, a los consejeros o a los ministros, y hay quienes se las hacen a sí mismos. Algunas veces, las respuestas están tan envueltas en la jerga de las investigaciones psicológicas, que resultan casi incomprensibles. Otras, están envueltas en humor y folclor. La mayoría de esos chistes y refranes contienen algo de verdad, pero son como quien le ofrece una aspirina a alguien que sufre de cáncer.

El anhelo de disfrutar de un amor romántico en el matrimonio es algo profundamente enraizado en nuestro temperamento. Casi todas las revistas populares publican por lo menos un artículo por tirada sobre las formas de mantener vivo el amor en el matrimonio. Abundan los libros que hablan del tema. Los programas de entrevistas en la radio y la televisión lo mencionan. Mantener vivo el amor en nuestro matrimonio es un asunto grave.

Con todos los libros, las revistas y las ayudas prácticas que hay a nuestro alcance, ¿por qué son tan pocas las parejas que parecen haber hallado el secreto para mantener vivo el amor después de la boda? ¿Por qué sucede que una pareja puede asistir a un taller sobre comunicación, oír ideas maravillosas sobre las formas de mejorar la comunicación, volver a casa y descubrir que es totalmente incapaz de llevar a la práctica los esquemas de comunicación que se le presentaron? ¿Cómo es posible que leamos un artículo en una revista acerca de «Las ciento una formas de expresarle su amor a su cónyuge», escojamos dos o tres de ellas que nos parezcan especialmente buenas, las probemos, y nuestro cónyuge no reconozca siquiera el esfuerzo que estamos haciendo? Renunciamos a las otras noventa y ocho formas, y seguimos con la vida de siempre.

La respuesta a esas preguntas es la razón de ser de este libro. No quiero decir con esto que los libros y los artículos que ya se han publicado no ayuden. El problema es que hemos pasado por alto una verdad fundamental: Las personas hablan diferentes lenguajes de amor.

En el aspecto lingüístico existen grandes grupos de idiomas: el japonés, el chino, el español, el inglés, el portugués, el griego, el alemán, el francés y muchos más. La mayoría de nosotros aprendemos al crecer el idioma de nuestros padres y hermanos, que se convierte en nuestro idioma primario o lengua materna. Más tarde, es posible que aprendamos otros idiomas, pero nos suelen costar un esfuerzo mucho mayor. Estos se convierten en nuestros idiomas secundarios. El que mejor hablamos y comprendemos es nuestro idioma primario. Nos sentimos más cómodos cuando lo hablamos. Mientras más usemos uno de los idiomas secundarios, más cómodos nos sentiremos al conversar en él. Si solo hablamos nuestro idioma primario, y nos encontramos con otra persona que solo habla el suyo, distinto al nuestro, nuestra comunicación va a ser limitada. Tenemos que apelar a señalar, gesticular, dibujar o representar lo que pensamos. Nos podemos comunicar, pero lo hacemos con torpeza. Las diferencias lingüísticas forman parte de la cultura humana. Para comunicarnos con eficacia más allá de nuestras fronteras lingüísticas, tenemos que aprender el idioma de aquellos con los cuales nos queremos comunicar.

Las cosas son parecidas en el amor. Su lenguaje emocional para el amor, y el lenguaje de su cónyuge pueden ser tan distintos como lo son el chino y el español. Por mucho que usted se esfuerce por expresar su amor en español, si su cónyuge solo entiende el chino, nunca van a saber de qué manera se pueden amar mutuamente. Mi amigo del avión le estaba hablando el lenguaje de las «palabras de afirmación» a su tercera esposa cuando dijo: «Le hablaba de lo hermosa que era. Le decía lo mucho que la amaba. Le decía de lo orgulloso que me sentía de ser su esposo». Estaba hablando su amor, y era sincero, pero ella no comprendía su lenguaje. Tal vez estuviera buscando amor en su conducta, y no lo veía. No basta con ser sinceros. Tenemos que estar dispuestos a aprender el lenguaje principal de amor de nuestro cónyuge para llegar a ser comunicadores eficaces de amor.

Después de treinta años de consejería matrimonial, he llegado a la conclusión de que hay cinco lenguajes emocionales básicos para expresar el amor; cinco formas en las cuales la gente expresa verbalmente y entiende el amor emocional. En el campo de la lingüística, un lenguaje puede tener numerosos dialectos o variaciones. También dentro de estos cinco lenguajes emocionales básicos del amor, existen numerosos dialectos. Eso explica los artículos de revista llamados «Las diez formas de hacer que su esposa sepa que usted la ama», «Veinte maneras de mantener a su hombre en casa», o «Las trescientas sesenta y cinco expresiones del amor marital». Los lenguajes básicos del amor no son diez, ni veinte, ni trescientos sesenta y cinco. En mi opinión, solo son cinco. No obstante, es posible que haya numerosos dialectos. El número de formas de expresar amor dentro de un lenguaje de amor solo tiene por límite nuestra imaginación. Lo importante es que sepamos hablar el lenguaje de amor de nuestro cónyuge.

Hace mucho tiempo que sabemos que al principio del desarrollo infantil, cada niño desarrolla unos esquemas emocionales únicos. Por ejemplo, hay niños que desarrollan unos esquemas de poca autoestima, mientras que otros tienen una autoestima saludable. Hay quienes desarrollan esquemas emocionales de inseguridad, mientras que otros crecen sintiéndose inseguros. Hay niños que crecen sintiéndose amados, deseados y valorados, mientras que otros crecen sintiendo que nadie los ama, los desea ni los valora.

Los niños que se sienten amados por sus padres y sus compañeros, desarrollan un lenguaje emocional primario de amor basado en su temperamento único y en la forma en que sus padres y otros personajes significativos de su vida los aman. Hablan y comprenden uno de los lenguajes primarios del amor. Tal vez más tarde aprendan uno de los lenguajes secundarios del amor, pero siempre se sentirán más cómodos con su lenguaje primario. Los niños que no se sienten amados por sus padres y compañeros, desarrollan también un lenguaje primario de amor. Sin embargo, va a ser algo distorsionado, de igual forma que algunos niños aprenden mal la gramática y tienen un vocabulario escaso. Una mala programación no significa que no se puedan convertir en buenos comunicadores. Con todo, sí significa que van a tener que esforzarse con mayor diligencia en esto que aquellos que han tenido unos modelos más positivos. De igual manera, los niños que crecen con un sentido subdesarrollado del amor emocional, también pueden llegar a sentirse amados y comunicar amor, pero tendrán que esforzarse más que aquellos que han crecido en una atmósfera sana y llena de amor.

Raras veces ambos esposos tienen el mismo lenguaje emocional primario para el amor. Tendemos a hablar en nuestro lenguaje primario de amor, y nos sentimos confundidos cuando nuestro cónyuge no comprende lo que le estamos comunicando. Estamos expresando nuestro amor, pero el mensaje no se abre paso, porque estamos hablando de una forma que para ese cónyuge es un lenguaje extranjero. Aquí se encuentra el problema fundamental, y este libro tiene por propósito ofrecer una solución. Por eso me atrevo a escribir otro libro acerca del amor. Una vez que descubramos los cinco lenguajes básicos del amor y comprendamos, tanto nuestro propio lenguaje primario de amor, como el de nuestro cónyuge, dispondremos de la información necesaria para aplicar a la práctica las ideas que aparecen en los libros y los artículos.

Una vez que usted identifique el lenguaje primario de amor de su cónyuge, y aprenda a hablarlo, creo que habrá descubierto la clave de un matrimonio duradero y lleno de amor. El amor no tiene por qué evaporarse después de la boda, pero a fin de mantenerlo vivo, la mayoría de nosotros vamos a tener que hacer el esfuerzo de aprender un lenguaje secundario de amor. No nos podemos apoyar en nuestro idioma materno, si nuestra esposa no lo entiende. Si queremos que ella sienta el amor que le estamos tratando de comunicar, se lo debemos expresar en su lenguaje primario de amor.

Palabras de afirmación

Regalos

Tiempo de calidad

Actos de servicio

Toque físico

Mantenga lleno el tanque del *amor*

LA PALABRA MÁS IMPORTANTE DE NUESTRO IDIOMA ES LA PALABRA «AMOR»... que es también la que más nos confunde. Tanto los pensadores seculares como los religiosos están de acuerdo en que el amor desempeña un papel central en la vida. Se nos dice que «el amor es algo esplendoroso» y que «el amor mueve al mundo». Hay miles de libros, cantos, revistas y películas donde aparece por todas partes la palabra. Numerosos sistemas filosóficos y teológicos le dan un lugar prominente al amor. Y el fundador de la fe cristiana quería que el amor fuera la característica distintiva de sus seguidores[1].

Los psicólogos han llegado a la conclusión de que la necesidad de sentirse amado es una necesidad emocional primaria del ser humano. Por el amor subimos montañas, atravesamos mares, cruzamos las arenas del desierto y soportamos privaciones sin cuento. Sin el amor, las montañas se vuelven insuperables, los mares imposibles de cruzar, los desiertos insoportables y las privaciones nuestros aprietos en la vida. Pablo, el apóstol cristiano a los gentiles, exaltó el amor cuando indicó que todos los logros del ser humano que no hayan sido motivados por el amor, a fin de cuentas son vacíos. Su conclusión es que, en la última escena del drama humano, solo tres características van a permanecer: «la fe, la esperanza y el amor, estos tres; pero el mayor de ellos es el amor»[2].

Si estamos de acuerdo en que la palabra «amor» se halla difundida por toda la sociedad humana, tanto a lo largo de la historia como en el presente, también tendremos que estar de acuerdo en que es una palabra que confunde grandemente. La usamos de mil formas distintas. Amamos a los animales: perros, gatos y hasta caracoles. Amamos la naturaleza: árboles, césped, flores, clima. Amamos a la gente: padre, madre, hijo, hija, esposa, esposo, amigos. Hasta nos enamoramos del amor mismo.

Por si eso no fuera suficiente para confundirnos, también usamos el sustantivo «amor» o el verbo «amar» para explicar nuestra conducta. «Lo hice porque la amo». Damos ese tipo de explicación en todo tipo de acciones. Un hombre se involucra en una relación de adulterio, y la llama «amor». En cambio, el predicador la llama pecado. La esposa de un alcohólico recoge la casa después del último episodio de alcoholismo de su esposo. Ella lo llama amor, pero el psicólogo lo llama codependencia. El padre consiente a su hijo en todo lo que se le antoja, y lo llama amor. El terapeuta de la familia lo llamaría paternidad irresponsable. ¿Cómo es la conducta amorosa?

Este libro no tiene por propósito eliminar toda la confusión que rodea a la palabra «amor», sino centrarse en ese tipo de amor que es esencial para nuestra salud emocional. Los psicólogos infantiles afirman que todos los niños tienen ciertas necesidades emocionales básicas que deben ser satisfechas para que tenga estabilidad emocional. Entre esas necesidades emocionales, no hay ninguna más básica que la necesidad de amor y afecto; la necesidad de sentir que pertenece a algo o alguien, y es deseado. Con una cantidad adecuada de afecto, lo más probable es que el niño se desarrolle para convertirse en un adulto responsable. Sin ese amor va a ser una persona emocional y socialmente retardada.

Me gustó esta metáfora desde la primera vez que la escuché: «Dentro de cada niño hay un "tanque emocional" que espera que lo llenen con amor.

Cuando el niño siente realmente que lo aman, se desarrolla normalmente, pero cuando el tanque de amor está vacío, el niño adopta una mala conducta. Gran parte de la mala conducta de los niños es motivada por los anhelos de un "tanque de amor" vacío». Esto lo escuché del doctor Ross Campbell, psiquiatra que se especializa en tratar niños y adolescentes.

Mientras lo escuchaba, pensaba en los centenares de padres que habían desfilado por mi oficina para hablarme de la mala conducta de sus hijos. Nunca había visualizado la existencia de un tanque de amor vacío dentro de aquellos niños, pero ciertamente, había visto los resultados de aquello. Su mala conducta era una búsqueda mal guiada del amor que no sentían. Estaban buscando amor en lugares equivocados y de formas erróneas.

Recuerdo a Ashley, que a los trece años de edad estaba recibiendo tratamiento a causa de una enfermedad venérea. Sus padres estaban destruidos. Estaban enojados con ella. Estaban molestos también con la escuela, a la que culpaban por haberle enseñado acerca del sexo. «¿Por qué hizo esto?», preguntaban.

En mi conversación con Ashley, ella me habló del divorcio de sus padres cuando tenía seis años. «Yo pensé que mi padre se había ido porque no me amaba», me dijo. «Cuando mi madre se volvió a casar, teniendo yo diez años, sentí que ella tenía ahora alguien que la amara, pero yo seguía sin tener nadie que me amara a mí. Tenían grandes ansias de que me amaran. En la escuela, conocí a un muchacho. Era mayor que yo, pero yo le gustaba. No lo podía creer. Era bondadoso conmigo, y al poco tiempo llegué a sentir que me amaba de verdad. No quería tener relaciones sexuales, pero sí quería que me amaran».

El «tanque de amor» de Ashley llevaba muchos años vacío. Su madre y su padrastro habían atendido sus necesidades físicas, pero no se habían dado cuenta de la profunda lucha emocional que rugía en su interior. Por supuesto que la amaban, y pensaban que ella sentía ese amor de ellos. Cuando descubrieron que no estaban hablando en el lenguaje primario de amor de Ashley, fue demasiado tarde.

Con todo, la necesidad emocional de recibir amor no es un fenómeno privativo de la niñez. Esa necesidad nos sigue a la vida adulta y al matrimonio. La experiencia del «enamoramiento» satisface la necesidad temporalmente, pero es inevitable que se trate de algo pasajero y, como veremos más tarde, con una vida limitada y previsible. Cuando descendemos de las alturas de la obsesión del enamoramiento, la necesidad emocional de amor vuelve a la superficie, porque es algo fundamental en nuestra naturaleza. Se halla en el centro de nuestros apetitos emocionales. Necesitábamos amor antes de «enamorarnos», y lo vamos a necesitar mientras vivamos.

La necesidad de sentirse amado por su cónyuge se encuentra en el corazón mismo de los anhelos maritales. Hace poco, me dijo un hombre: «¿De qué me sirven la casa, el auto, el sitio en la playa y todo lo demás, si mi esposa no me ama?». ¿Comprende lo que estaba diciendo en realidad? «Por encima de todo, lo que quiero es que mi esposa me ame». Las cosas materiales no pueden reemplazar el amor humano emocional. Una esposa dirá: «Él no me presta atención en todo el día, y después quiere meterse conmigo en la cama. Detesto todo esto». No se trata de una esposa que deteste la relación sexual, sino de una esposa que suplica con urgencia que se le dé amor emocional.

En nuestra naturaleza hay algo que clama por el amor de otra persona. El aislamiento es devastador para la psique humana. Por eso se considera que el encarcelamiento solitario es el más cruel de los castigos. En el centro mismo de la existencia de la humanidad se encuentra el anhelo de tener intimidad con alguien y ser amado por ese alguien. Por eso, los escritos bíblicos antiguos hablan de que el marido y la mujer se convierten en «una sola carne». Eso no quiere decir que la persona vaya a perder su identidad; lo que significa es que cada uno de ellos entra a la vida del otro de una forma profunda e íntima. Los escritores del Nuevo Testamento exhortaban tanto al marido como a la mujer para que se amaran mutuamente. Desde Platón hasta M. Scott Peck, los escritores han insistido siempre en la importancia del amor en el matrimonio.

Ahora bien, el amor es importante, pero también es esquivo. He escuchado a numerosos matrimonios mientras compartían conmigo su dolor secreto. Algunos acudían a mí porque su dolor interior se había vuelto insoportable. Otros venían porque se daban cuenta de que sus esquemas de conducta o la mala conducta de su cónyuge estaban destruyendo su matrimonio. Algunos solo venían para informarme que ya no querían seguir casados. Su sueño de ser «felices para siempre» se había estrellado contra los duros muros de la realidad. Una y otra vez he escuchado las mismas palabras: «Nuestro amor desapareció; nuestra relación está muerta. Nosotros antes nos sentíamos muy cerca el uno del otro, pero ahora no. Ya no disfrutamos de estar juntos. No satisfacemos mutuamente nuestras necesidades». Sus historias dan testimonio de que, al igual que los niños, los adultos también tienen su propio «tanque de amor».

¿Será acaso que muy dentro de esas parejas que sufren existe un «tanque de amor emocional» que marca «vacío»? ¿Podría ser que la conducta incorrecta, el retraimiento, las palabras duras y el espíritu crítico se han presentado porque ese tanque está vacío? Si pudiéramos hallar la forma de llenarlo, ¿podría renacer el matrimonio? Con el tanque lleno, ¿podrían crear las parejas un clima emocional en el cual sea posible hablar de sus diferencias y resolver sus conflictos? ¿Será ese tanque acaso la clave que hace que un matrimonio funcione?

Esas preguntas me lanzaron a un largo peregrinaje. A lo largo de mi caminar, descubrí las ideas tan sencillas y poderosas al mismo tiempo que contiene este libro. Ese peregrinar no solo me ha llevado a través de treinta años de consejería matrimonial, sino también hasta el corazón y la mente de centenares de parejas en todos los Estados Unidos. Desde Seattle hasta Miami ha habido parejas que me han invitado a la recámara más íntima de su matrimonio, y hemos hablado abiertamente. Las ilustraciones que incluyo en el libro son cortadas de la tela de la vida real. Solo he cambiado los nombres y los lugares para proteger la vida privada de las personas que me han hablado con tanta libertad.

Estoy convencido de que mantener lleno el tanque de amor emocional es tan importante para un matrimonio como lo es mantener el nivel adecuado de aceite en un automóvil. Tratar de hacer marchar su matrimonio con el «tanque de amor» marcando «vacío» podría resultar más costoso que tratar de hacer andar su auto sin aceite en el motor. Lo que está a punto de leer tiene el potencial de salvar a miles de matrimonios y hasta puede mejorar el clima emocional de un buen matrimonio. Cualquiera que sea la calidad de su matrimonio en estos momentos, siempre puede mejorar.

UNA ADVERTENCIA: La comprensión de los cinco lenguajes del amor y el aprendizaje del lenguaje primario del amor que usa su cónyuge son cosas que podrían afectar de manera radical a la conducta de este. Las personas se comportan de una forma distinta cuando tienen lleno el tanque de amor emocional.

No obstante, antes de examinar los cinco lenguajes del amor, tenemos que hablar de otro fenómeno importante, pero desconcertante: la experiencia eufórica que llamamos «enamorarse».

NOTAS

[1] Juan 13:35.

[2] 1 Corintios 13:13.

Palabras de afirmación

Regalos

Tiempo de calidad

Actos de servicio

Toque físico

El enamoramiento

JANICE SE PRESENTÓ EN MI OFICINA SIN HABER HECHO CITA, Y LE PREGUNTÓ a mi secretaria si me podría hablar solo cinco minutos. Yo la conocía desde dieciocho años atrás. Tenía treinta y seis, y no había estado casada. Había salido con varios hombres a lo largo de los años, uno de ellos durante seis años, otro durante tres y varios más durante períodos más cortos. De vez en cuando, había hecho citas conmigo para hablar de alguna dificultad determinada en una de sus relaciones. Por naturaleza era una persona disciplinada, minuciosa, organizada, considerada y atenta. Era algo muy desusado en ella presentarse en mi oficina sin avisar. Yo pensé que debía haber alguna crisis terrible para que Janice se presentara sin pedir cita. Le dije a mi secretaria que la hiciera pasar, y estaba preparado para ver que rompía a llorar y me contaba alguna historia trágica tan pronto como se cerrara la puerta. Pero lo que hizo fue entrar casi saltando a mi despacho, resplandeciente de emoción.

—¿Cómo está usted hoy, Janice? —le pregunté.

—¡Estupendamente bien! —me dijo—. Nunca me he sentido mejor en toda mi vida. ¡Me voy a casar!

—¿Se va a casar? —dije, revelando mi sorpresa—. ¿Con quién, y cuándo?

—Con David Gallespie —exclamó—, y en septiembre.

—Apasionante. ¿Cuánto tiempo llevan de noviazgo?

—Tres semanas. Sé que parece una locura, doctor Chapman, después de todos los hombres con los que he salido, y la cantidad de veces que he estado tan cerca de casarme. Yo misma no lo puedo creer, pero sé que David es el hombre de mi vida. Desde la primera vez que salimos juntos, ambos lo supimos. Por supuesto, no hablamos de aquello la primera noche, pero una semana más tarde, él me pidió que nos casáramos. Yo sabía que me lo iba a pedir, y sabía que le iba a decir que sí. Nunca antes me había sentido así, doctor Chapman. Usted conoce las relaciones que he tenido a lo largo de los años, y las luchas por las que he pasado. En todas las relaciones había siempre algo que no estaba bien. Nunca me sentí en paz en cuanto a casarme con ninguno de ellos, pero ahora sé que David es el hombre que necesito.

Ya para entonces, Janice se estaba meciendo en su asiento, riendo y diciéndome:

—Sé que esto parece cosa de locos, pero soy muy feliz. Nunca he sido tan feliz en toda mi vida.

¿Qué le ha sucedido a Janice? Que se ha enamorado. En su mente, David es el hombre más maravilloso de todos los que ha conocido. Es perfecto en todo sentido. Va a ser el esposo ideal. Piensa en él día y noche. El hecho de que David haya estado casado ya dos veces antes, tenga tres hijos y haya pasado por tres trabajos distintos en el año pasado es algo trivial para Janice. Está feliz, y está convencida de que va a ser feliz para siempre con David. Está enamorada.

Muchos de nosotros entramos al matrimonio por la vía del «enamoramiento». Nos encontramos con alguien cuyas características físicas y cuyos rasgos de personalidad crean en nosotros una sacudida eléctrica lo suficientemente fuerte para poner en movimiento nuestro sistema de «alerta amorosa». Empiezan a repicar las campanas, y comenzamos el proceso de tratar de conocer a esa persona. Tal vez el primer paso sea comer juntos una hamburguesa o un filete, según nuestro presupuesto, pero nuestro verdadero interés no está en la comida. Nos hemos lanzado a descubrir el amor. «Este cálido hormigueo que siento por dentro, ¿no será acaso el amor "verdadero"?»

Algunas veces perdemos el hormigueo ya en nuestra primera cita. Descubrimos que ella usa rapé, y el cosquilleo se nos sale por los dedos de los pies; no queremos comer más hamburguesas con ella. Sin embargo, otras veces el hormigueo es más fuerte después de la hamburguesa que antes. Nos las arreglamos para tener unas cuantas experiencias «juntos», y al cabo de poco tiempo, el nivel de intensidad ha aumentado hasta el punto de que comenzamos a decir: «Me parece que me estoy enamorando». Por fin nos convencemos de que estamos sintiendo un «amor verdadero» y se lo decimos a la otra persona, con la esperanza de que los sentimientos sean recíprocos. Si no lo son, las cosas se enfrían un poco, o redoblamos nuestros esfuerzos por impresionar a nuestra amada y terminar ganándonos su amor. Cuando son recíprocos los sentimientos, comenzamos a hablar de casarnos, porque todo el mundo está de acuerdo en que el enamoramiento es el fundamento necesario para un buen matrimonio.

En sus momentos más fuertes, el enamoramiento causa euforia. Nos obsesionamos emocionalmente el uno con el otro. Nos vamos a dormir pensando en el otro. Cuando nos levantamos, esa persona ocupa el primer pensamiento que nos viene a la mente. Ansiamos estar juntos. Pasar tiempo juntos es como estar jugando en la antesala del cielo. Cuando nos tomamos de la mano, nos parece como si nuestra sangre corriera toda junta. Nos podríamos estar besando para siempre, si no tuviéramos que ir a clases o a trabajar. Los abrazos estimulan los extáticos sueños sobre el matrimonio.

El que está «enamorado» tiene la ilusión de que la persona amada es perfecta. Su madre le puede ver los defectos, pero él no. La madre le dice: «Hijo, ¿has pensado que lleva cinco años bajo tratamiento psiquiátrico?», pero él le contesta: «Mamá, cálmate. Ya lleva tres meses sin tratamiento». Sus amigos también le pueden ver los defectos, pero lo más probable es que no se los digan a menos que él le pregunte, y no es de esperar que lo haga, porque en su mente, ella es perfecta, y lo que piensen los demás no le importa.

Antes del matrimonio soñamos con la bienaventuranza de la vida marital: «Vamos a hacernos sumamente felices el uno al otro. Las demás parejas discutirán y pelearán, pero nosotros no. Nosotros nos amamos». Por supuesto, nuestra ingenuidad no es total. En nuestra mente sabemos que terminaremos teniendo diferencias. Pero estamos seguros de que vamos a hablar de esas diferencias con toda franqueza; uno de nosotros siempre va a estar dispuesto a ceder, y llegaremos a un acuerdo. Es difícil creer otra cosa cuando estamos enamorados.

Se nos ha hecho creer que, si estamos verdaderamente enamorados, esa emoción va a durar para siempre. Siempre tendremos los maravillosos sentimientos que tenemos en estos momentos. Nada se podrá interponer entre nosotros. Nada va a poder vencer el amor que nos tenemos. Estamos enamorados, y atrapados en la belleza y el encanto de la personalidad del otro. Nuestro amor es lo más maravilloso que hemos experimentado jamás. Observamos que hay matrimonios que parecen haber perdido ese sentimiento, pero eso nunca nos va a pasar a nosotros. «Tal vez sus sentimientos nunca han sido genuinos», razonamos.

Lamentablemente, eso de que el enamoramiento es eterno, no es realidad, sino ficción. La psicóloga doctora Dorothy Tennov, ha hecho estudios a largo plazo sobre el fenómeno del enamoramiento. Después de estudiar veintenas de parejas, llegó a la conclusión de que la vida promedio de una obsesión romántica es de dos años. Si se trata de una aventura amorosa secreta, es posible que dure algo más. Sin embargo, al final todos bajamos de las nubes para poner los pies sobre la tierra de nuevo. Se nos abren los ojos, y vemos las verrugas de la otra persona. Reconocemos que, en realidad, algunos de los rasgos de su personalidad son irritantes. Sus esquemas de conducta son enojosos. Tiene capacidad para herir y hacer enojar; tal vez incluso para las palabras duras y los juicios críticos. Esos pequeños rasgos que habíamos pasado por alto cuando estábamos enamorados, se convierten ahora en gigantescas montañas.

Recordamos las palabras de nuestra madre y nos preguntamos: ¿Cómo he podido ser tan tonto?

Bienvenido al mundo real del matrimonio, en el cual siempre hay pelos en el lavabo y el espejo está cubierto de pequeñas manchas blancas; donde las discusiones se centran en la forma en que sale del rollo el papel higiénico y si se debe dejar levantada la tapa del inodoro o no. Es un mundo donde los zapatos no caminan solos hasta el armario y las gavetas no se cierran solas; donde a los abrigos no les gustan las perchas y los calcetines desaparecen misteriosamente mientras se lavan. En este mundo, una mirada puede herir y una palabra puede aplastar. Los que estaban profundamente enamorados se pueden volver enemigos, y el matrimonio se puede volver un campo de batalla.

¿Qué le pasó al «enamoramiento»? Ay; no era más que una ilusión con la cual se nos engañó para que firmáramos en la línea de puntos, para bien o para mal. No en balde hay tantos que han llegado a maldecir el matrimonio, y también al cónyuge al que una vez amaron. Al fin y al cabo, si fuimos engañados, tenemos derecho a sentirnos enojados. ¿Tuvimos realmente un amor genuino? Yo creo que sí. El problema estuvo en una información defectuosa.

Esa mala información consiste en la idea de que la obsesión del «enamoramiento» duraría para siempre. Habríamos debido saber mejor las cosas. Nos habría bastado una simple observación informal para saber que si la gente se pudiera quedar metida en sus obsesiones, todos nos hallaríamos en serios problemas. Las ondas de choque retumbarían a lo largo de los negocios, la industria, la iglesia, la educación y el resto de la sociedad. ¿Por qué? Porque las personas «enamoradas» pierden el interés en toda otra actividad. Por eso decimos que se trata de una «obsesión». El estudiante de colegio universitario que se enamora perdidamente, ve cómo sus notas se vienen abajo. Es difícil estudiar cuando se está enamorado. Mañana le van a hacer un examen sobre la Guerra de 1812, pero ¿a quién le importa la Guerra de 1812? Cuando uno está enamorado, todo lo demás le parece irrelevante. Un hombre me dijo:

—Doctor Chapman, mi trabajo se está desintegrando.

—¿Qué quiere decir? —le pregunté.

—Conocí a una joven, me enamoré de ella y ahora no logro hacer nada. No me puedo concentrar en el trabajo. Me paso el día soñando con ella.

La euforia del «enamoramiento» nos produce la ilusión de que tenemos una relación íntima. Sentimos que nos pertenecemos el uno al otro. Creemos que vamos a poder vencer todos los problemas. Nos sentimos altruistas el uno con el otro. Un joven me decía de su prometida: «No puedo ni pensar siquiera en hacer algo para herirla. Mi único anhelo es hacerla feliz. Haría lo que fuera por hacerla feliz». Esa obsesión nos da el falso sentido de que nuestras actitudes egocéntricas han sido erradicadas y nos hemos convertido en una especie de Madre Teresa dispuesta a darlo todo por el beneficio de la persona que amamos. La razón por la que podemos hacer esto con tanta libertad, es que creemos sinceramente que esa otra persona siente lo mismo por nosotros. Creemos que se ha consagrado a satisfacer nuestras necesidades; que nos ama tanto como la amamos, y que nunca haría nada para herirnos.

Esa forma de pensar siempre es fantasiosa. No digo que seamos insinceros en lo que pensamos y sentimos, pero no somos realistas. No contamos con la realidad de lo que es la naturaleza humana. Por naturaleza, somos egocéntricos. Nuestro mundo gira alrededor de nosotros mismos. Nadie es totalmente altruista. Lo único que hace la euforia del «enamoramiento» es crear en nosotros esa ilusión.

Una vez que la experiencia del enamoramiento haya terminado su transcurso normal (recuerde que el enamoramiento promedio dura dos años), regresaremos al mundo de la realidad y comenzaremos a hacernos valer a nosotros mismos. Él expresará lo que quiere, pero eso que quiere va a ser distinto a lo que ella quiere. Él quiere tener relaciones sexuales, pero ella está demasiado cansada. Él quiere comprar un auto nuevo, pero ella dice: «¡Eso es absurdo!». Ella quiere ir a visitar a sus padres, pero él le dice: «¡No me gusta pasar tanto tiempo con tu familia!». Él quiere jugar en el campeonato de pelota, pero ella dice: «¡Te gusta más la pelota que yo!».

Poco a poco se va evaporando la ilusión de intimidad, y los apetitos, emociones, pensamientos y formas de conducta de cada uno se ponen en acción. Son dos seres humanos distintos. Sus mentes no se han fundido en una y sus emociones se mezclaron solo por un breve tiempo en el océano del amor. Ahora, las ondas de la realidad comienzan a separarlos. Pierden el enamoramiento, y a tal punto que se dejan de relacionar, se separan, se divorcian y se lanzan a buscar un nuevo enamoramiento, o comienzan el duro esfuerzo de aprender a amarse sin la euforia obsesiva del enamoramiento.

Algunos investigadores, entre ellos el psiquiatra M. Scott Peck y la psicóloga Dorothy Tennov, han llegado a la conclusión de que al enamoramiento no se le debe dar nunca el nombre de «amor». La doctora Tennov ideó el vocablo *limerance* (originalmente en inglés; ver n. del t.[1]) para distinguir esta experiencia de lo que ella considera como amor real. El doctor Peck llega a la conclusión de que el enamoramiento no es amor real, por tres razones. Primera, que cuando alguien se enamora, no es por un acto de su voluntad o por una decisión consciente. Por mucho que hayamos querido enamorarnos, no podemos hacer que esto suceda. Por otra parte, tal vez no estemos buscando esta experiencia cuando nos inunda. Con frecuencia nos enamoramos en los momentos menos oportunos, y de las personas que menos nos imaginaríamos.

En segundo lugar, el enamoramiento no es verdadero amor porque se produce sin esfuerzo. Todo lo que hagamos en ese estado de enamoramiento exige de nosotros poca disciplina o poco esfuerzo consciente. Esas llamadas telefónicas tan largas y tan caras que nos hacemos, el dinero que gastamos viajando para vernos, los regalos que nos damos, los proyectos de trabajo que hacemos, no son nada para nosotros. Así como la naturaleza instintiva del ave le dicta la construcción de un nido, también la naturaleza instintiva del enamoramiento nos impulsa a hacer cosas extravagantes y poco naturales el uno por el otro.

En tercer lugar, el que está enamorado no se halla genuinamente interesado en favorecer el crecimiento personal del otro. «Si tenemos en la mente algún propósito cuando nos enamoramos, ese propósito es acabar con nuestra propia soledad, y tal vez asegurar estos resultados por medio del matrimonio»[2]. El enamoramiento no se centra en nuestro propio crecimiento, ni en el crecimiento y el desarrollo de la otra persona. Lo que hace es darnos la sensación de que hemos llegado a la meta y que ya no necesitamos seguir creciendo. Nos encontramos en la cima de la felicidad de la vida, y nuestro único anhelo consiste en permanecer allí. Por supuesto, nuestra amada no necesita crecer, porque es perfecta. Solo tenemos la esperanza de que siga siendo perfecta.

Si el enamoramiento no es amor verdadero, ¿qué es? El doctor Peck llega a la conclusión de que «es un componente instintivo genéticamente determinado de la conducta de apareamiento. En otras palabras, el derrumbe temporal de las fronteras del ego que constituye el enamoramiento es una respuesta estereotípica de los seres humanos ante una configuración de impulsos sexuales internos y estímulos sexuales externos, que sirve para aumentar la probabilidad de apareamiento y enlace sexual, con el fin de mejorar las posibilidades de supervivencia de la especie»[3].

Estemos de acuerdo o no con esa conclusión, es muy probable que aquellos que nos hemos enamorado y hemos salido del enamoramiento estemos de acuerdo en que esta experiencia sí nos pone en órbita emocional como ninguna otra cosa más que hayamos experimentado. Tiende a desconectar nuestras capacidades de razonamiento, y muchas veces hacemos y decimos cosas que nunca habríamos hecho en momentos de mayor sobriedad. De hecho, cuando descendemos de esa obsesión emocional, nos solemos preguntar por qué hicimos esas cosas. Cuando la ola de emociones se aplaca y regresamos al mundo real, donde nuestras diferencias salen a la luz, somos muchos los que hemos preguntado: «¿Por qué nos casamos? Si no estamos de acuerdo en nada». Sin embargo, en los momentos más elevados del enamoramiento pensábamos estar de acuerdo en todo… al menos en todo lo que fuera importante.

¿Significa esto que si hemos caído en la trampa y nos hemos casado bajo la ilusión de estar enamorados, ahora nos enfrentamos a dos opciones, (1) estamos destinados a una vida de infelicidad con nuestro cónyuge, o (2) debemos abandonar el barco e intentarlo de nuevo? Nuestra generación ha optado por esta última opción, mientras que las generaciones anteriores solían optar por la primera. Antes de llegar de manera automática a la conclusión de que nuestra opción es la mejor, tal vez deberíamos examinar los datos. En el momento presente, el cuarenta por ciento de los que se casan por primera vez en este país, terminan divorciándose. El sesenta por ciento de los que se casan por segunda vez, y el setenta y cinco por ciento de los que se casan por tercera vez, terminan de la misma forma. Al parecer, las posibilidades de tener un matrimonio más feliz la segunda vez o la tercera, no son considerables.

Las investigaciones parecen indicar que hay una tercera alternativa, que es mejor. Podemos reconocer el enamoramiento tal como ha sido —una elevación temporal de las emociones— y después dedicarnos a buscar el «amor verdadero» con nuestro cónyuge. Ese tipo de amor es de naturaleza emocional, pero no es obsesivo. Es un amor que une la razón con la emoción. Comprende un acto voluntario y exige disciplina, y reconoce la necesidad de que haya crecimiento personal. Nuestra necesidad emocional básica no es enamorarnos, sino tener un amor mutuo genuino; conocer un amor que brota de la razón y de una decisión, y no de los instintos. Yo necesito que me ame alguien que haya tomado la decisión de amarme; alguien que vea en mí algo digno de ser amado.

Esa clase de amor exige esfuerzo y disciplina. Es la decisión de gastar energías en un esfuerzo por beneficiar a la otra persona, sabiendo que si su vida es enriquecida por nuestro esfuerzo, nosotros también sentiremos satisfacción; la satisfacción de habernos amado de una forma genuina. Eso no requiere de la euforia del enamoramiento. Es más, el verdadero amor no puede comenzar mientras el enamoramiento no haya terminado su carrera.

No podemos atribuirnos méritos por las cosas buenas y generosas que hagamos bajo la influencia de «la obsesión». Hay una fuerza instintiva que nos empuja y arrastra, y que va más allá de nuestros esquemas normales de conducta. Ahora bien, si cuando regresamos al mundo real de las decisiones humanas, decidimos ser bondadosos y generosos, eso es amor real.

La necesitad emocional de amor debe ser satisfecha para que tengamos salud emocional. Los adultos casados añoran sentir el afecto y el amor de su cónyuge. Nos sentimos seguros cuando tenemos la certeza de que nuestro cónyuge nos acepta, nos quiere y está comprometido a lograr nuestro bienestar. Durante la etapa del enamoramiento, sentimos todas esas emociones. Fue algo celestial, mientras duró. Nuestro error estuvo en pensar que duraría para siempre.

Pero esa obsesión no podía durar para siempre. En el libro de texto del matrimonio, no es más que la introducción. El centro del libro es el amor racional, volitivo. Esa es la clase de amor a la que siempre nos han llamado los sabios. Un amor intencional.

Esto es una buena noticia para el matrimonio que ha perdido todos los sentimientos del enamoramiento. Si el amor es una decisión, entonces ellos tienen capacidad para amar después de muerta la obsesión del enamoramiento, cuando ya hayan regresado al mundo real. Esa clase de amor comienza con una actitud; una forma de pensar. El amor es la actitud que dice: «Estoy casado contigo, y tomo la decisión de cuidar de tus intereses». Entonces, el que decide amar encuentra formas adecuadas de expresar su decisión.

«Pero es que eso parece tan estéril», alegará alguien. «¿El amor como una actitud acompañada por una conducta adecuada a ella? ¿Dónde están las estrellas fugaces, los globos de colores, las emociones profundas? ¿Y el espíritu de expectación, el guiño de los ojos, la corriente eléctrica de un beso, la excitación del sexo? ¿Y la seguridad emocional de saber que yo ocupo el primer lugar en su mente?» De eso trata este libro. ¿Cómo satisfacer cada cual la profunda necesidad emocional que tiene el otro de sentirse amado? Si podemos aprender esto y tomar la decisión de hacerlo, entonces el amor que compartamos va a ser mucho más emocionante que todo cuanto sentimos mientras estábamos enamorados.

Durante muchos años he explicado los cinco lenguajes emocionales del amor en mis seminarios sobre el matrimonio y en mis sesiones privadas de consejería. Miles de parejas dan testimonio de la validez de lo que usted está a punto de leer. Mis archivos están repletos de cartas de personas a quienes nunca he conocido personalmente, que me dicen: «Un amigo me prestó una de sus cintas grabadas sobre los lenguajes del amor, y ha revolucionado nuestro matrimonio. Nosotros habíamos luchado durante años, tratando de amarnos, pero en nuestros esfuerzos, cada uno de nosotros no había sabido llegar hasta las emociones del otro. Ahora que estamos hablando los lenguajes del amor que son adecuados a nuestra situación, el clima emocional de nuestro matrimonio ha mejorado de manera radical».

Cuando el tanque emocional de amor de su esposa esté lleno, y ella se sienta segura con su amor, el mundo entero resplandecerá para ella, y se lanzará a alcanzar el potencial más alto posible en su vida. Pero cuando el tanque de amor está vacío, y ella se siente usada sin ser amada, todo el mundo parece estar en tinieblas, y lo más probable es que nunca llegue a alcanzar su potencial para el bien en el mundo. En los próximos cinco capítulos voy a ir explicando los cinco lenguajes emocionales del amor y después, en el capítulo 9, voy a ilustrar la forma en que el descubrimiento del lenguaje de amor primario de su esposa puede hacer que sus esfuerzos y su amor lleguen a ser lo más productivos posible.

NOTAS

[1] Palabra de su invención, compuesta uniendo los vocablos *limerick* y *romance*. El primero identifica en inglés a la estrofa poética de arte menor, generalmente jocosa, llamada *quintilla*, con lo cual parece sugerir que se trata de una forma barata de romanticismo, mucho menos seria de lo que aparenta ser. *Nota del traductor al español.*

[2] M. Scott Peck, *The Road Less Travelled* (Simon & Schuster, Nueva York, 1978), pp. 89-90.

[3] Ibíd., p. 90.

Palabras de afirmación

Regalos

Tiempo de calidad

Actos de servicio

Toque físico

CUATRO

LENGUAJE #1 DEL AMOR:

Palabras de *afirmación*

MARK TWAIN DIJO EN UNA OCASIÓN: «CON UN BUEN CUMPLIDO, PUEDO vivir un par de meses». Si tomamos a Twain al pie de la letra, con seis cumplidos al año le habría bastado para mantener su tanque emocional de amor a un nivel que le permitiera funcionar. Lo más probable es que su cónyuge necesite más que eso.

Una de las formas de expresar emocionalmente el amor consiste en usar palabras que eleven a la persona. Salomón, uno de los autores de la literatura sapiencial hebrea antigua, escribió: «La muerte y la vida están en poder de la lengua»[1]. Son muchas las parejas que nunca han aprendido el gigantesco poder que tiene el que se eleven verbalmente el uno al otro. También es Salomón el que hace esta observación: «La congoja en el corazón del hombre lo abate; mas la buena palabra lo alegra»[2].

Los elogios verbales, o palabras de aprecio, tienen gran poder como comunicadores de amor. La mejor forma de expresarlos es usar unas frases sencillas y directas de elogio, como estas:

«Te ves muy bien con esa ropa».

«¡Vaya! ¡Qué bien te ves con ese vestido!»

«Debes ser la mejor cocinera de papas del mundo. Me encantan estas papas».

«Te agradezco mucho que lavaras los platos esta noche».

«Gracias por conseguir quien cuide a los niños esta noche. Quiero que sepas que no doy por sentado que lo vas a hacer».

«Te agradezco de veras que sacaras la basura».

¿Qué le sucedería al clima emocional de un matrimonio, si el esposo y la esposa escucharan constantemente este tipo de palabras de elogio?

Hace varios años, estaba sentado un día en mi oficina con la puerta abierta. Una dama que iba por el pasillo me dijo:

—¿Tiene un minuto?

—Claro; entre.

Ella se sentó y me dijo:

—Doctor Chapman, tengo un problema. No puedo lograr que mi esposo pinte nuestro cuarto. Llevo nueve meses detrás de él para que lo haga. He intentado todo lo que sé, pero no puedo lograr que lo pinte.

Lo primero que pensé fue decirle: Señora, está en el lugar equivocado. Yo no soy contratista de pintura de casas. Pero le dije:

—Cuéntemelo todo.

Ella me dijo:

—Bueno, el sábado pasado es un buen ejemplo. ¿Recuerda lo bello que estaba el día? ¿Sabe en lo que se pasó mi esposo el día entero? Lavando el auto y encerándolo.

—¿Y pintó el cuarto? —le pregunté.

—No. Sigue sin pintar. No sé qué hacer.

—Le voy a hacer una pregunta —dije—. ¿Se opone usted a que los autos estén limpios y encerados?

—No, pero quiero que el cuarto esté pintado.

—Está segura de que su esposo sabe que quiere que el cuarto esté pintado.

—Yo sé que sí —me dijo—. Llevo nueve meses detrás de él para que lo haga.

—Permítame hacerle una última pregunta. Su esposo, ¿hace algo bien alguna vez?

—¿Cómo qué?

—Pues... sacar la basura, limpiar los insectos pegados al parabrisas del auto que usted conduce, llenarle el tanque de gasolina, pagar la cuenta de la electricidad, colgar su abrigo...

—Sí —me dijo—. Él hace algunas de esas cosas.

—En ese caso, le tengo dos sugerencias. La primera, que no vuelva a mencionar que hace falta pintar el cuarto —y se lo repetí—: No lo vuelva a mencionar.

—No veo cómo me va a ayudar eso —me dijo ella.

—Mire, me acaba de decir que él sabe que usted quiere que el cuarto esté pintado. Ya no se lo tiene que volver a repetir. Él ya lo sabe. La segunda sugerencia que tengo es que la próxima vez que su esposo haga algo bien hecho, lo elogie verbalmente. Si saca la basura, dígale: "Bob, quiero que sepas que te agradezco de veras que hayas sacado la basura". No le diga: "Ya era hora de que sacaras la basura. Las moscas iban a terminar sacándola ellas para que tú no tuvieras que hacerlo". Si lo ve pagando la cuenta de la electricidad, póngale la mano en el hombro y dígale: "Bob, te agradezco de veras que pagues la cuenta de la electricidad. He oído hablar de esposos que no lo hacen, y quiero que sepas lo mucho que te lo agradezco". Cada vez que haga algo bueno, dígale unas palabras de encomio.

—Pero todavía no entiendo cómo voy a lograr así que pinte el cuarto.

—Usted me pidió un consejo. Ya lo tiene. Y es gratis —le contesté

No se sentía muy contenta conmigo cuando se marchó. Sin embargo, tres semanas más tarde volvió a mi oficina y me dijo: «¡Funcionó!». Había aprendido que los elogios verbales son unos motivadores mucho mayores que los regaños.

No le estoy sugiriendo que use los halagos para lograr que su cónyuge haga algo que usted quiere que haga. El objetivo del amor no es lograr algo que queremos, sino hacer algo por el bienestar de la persona que amamos. No obstante, es una realidad que cuando nos dicen palabras de elogio nos sentimos mucho más impulsados a reciprocar y hacer algo que nuestro cónyuge desea que hagamos.

Las palabras de aliento

Los elogios verbales solo son una forma de reafirmar con palabras a nuestro cónyuge. Otro de los dialectos es el de las palabras de aliento. La palabra alentar significa «inspirar valor». Todos tenemos aspectos de la vida en los cuales nos sentimos inseguros. Nos falta valor, y con frecuencia, esa falta de valor impide que realicemos las cosas positivas que nos gustaría hacer. El potencial que tiene latente su cónyuge en los aspectos en los cuales siente inseguridad, podría estar esperando sus palabras de aliento.

A Allison siempre le ha gustado escribir. Al final de sus estudios universitarios tomó unas cuantas clases de periodismo. Pronto se dio cuenta de que su entusiasmo por escribir superaba a su interés por la historia, que había sido su especialidad en los estudios. Era demasiado tarde para cambiar de especialidad, pero después de los estudios universitarios y sobre todo, antes de llegar nuestro primer hijo, escribió varios artículos. Le envió uno de ellos a una revista, pero cuando le enviaron una nota de rechazo, nunca logró reunir el valor necesario para enviar otro. Ahora que los niños ya estaban mayores y tenía más tiempo para meditar, comenzó a escribir de nuevo.

Keith, el esposo de Allison, se había fijado poco en los escritos de ella en los primeros tiempos de su matrimonio. Estaba ocupado con su propia actividad, y atrapado en las presiones que significa tratar de ir ascendiendo dentro de una corporación. Sin embargo, con el tiempo, se había dado cuenta de que el significado más profundo de la vida no se encuentra en los logros, sino en las relaciones. Había aprendido a prestarles más atención a Allison y a los intereses de ella. Por eso, fue muy natural que una noche tomara uno de los artículos escritos por ella y lo leyera. Cuando terminó, se fue al estudio donde ella estaba leyendo un libro. Allí, le dijo muy entusiasmado:

—Siento interrumpir tu lectura, pero te tengo que decir algo. Acabo de leer tu artículo sobre "Sacarles el mayor provecho posible a los días de fiesta". Allison, eres una escritora excelente. ¡Hay que lograr que se publique este material! Escribes con claridad. Tus palabras pintan imágenes que yo puedo visualizar. Tienes un estilo fascinante. Tienes que enviar este material a varias revistas.

—¿De veras lo crees? —le preguntó Allison, vacilante.

—¿Creerlo? Lo sé —le respondió Keith—. Te digo que es un material muy bueno.

Cuando Keith salió del cuarto, Allison no pudo regresar a su lectura. Con el libro cerrado en su regazo, soñó despierta durante media hora acerca de lo dicho por Keith. Se preguntó si otras personas verían sus escritos de la misma forma que él. Recordó la nota de rechazo que había recibido años antes, pero pensó que ahora, ella misma era diferente. Sus escritos eran mejores. Había tenido más experiencias. Antes de levantarse para ir a tomar agua, ya había tomado una decisión. Les presentaría sus artículos a algunas revistas. Vería así si eran publicables.

Keith le dijo esas palabras de aliento hace catorce años. Allison ha publicado numerosos artículos desde entonces, y ahora tiene un contrato para un libro. Es una escritora excelente, pero hicieron falta las palabras de aliento de su esposo para inspirarla a dar el primer paso en el arduo proceso de lograr que le publicaran un artículo.

Tal vez su cónyuge tenga un potencial sin explorar en uno o varios aspectos de la vida. Ese potencial podría estar esperando por sus palabras de aliento. Tal vez necesite matricularse en algún curso para desarrollar ese potencial. O necesite conocer gente que haya triunfado en ese aspecto, y le puedan dar ideas sobre el siguiente paso que necesita dar. Sus palabras le podrían dar a su cónyuge el aliento necesario para dar ese primer paso.

Le ruego que note que no estoy hablando acerca de ponerle presión a su cónyuge para que haga algo que usted quiere que haga. Estoy hablando de darle ánimo para que desarrolle un interés que ya tiene. Por ejemplo, hay esposos que presionan a su esposa para que baje de peso. Dicen: «Le estoy dando ánimo», pero para ella, aquellas palabras suenan más como una condenación. Mientras ella no tenga el deseo, sus palabras van a caer dentro de la categoría de las predicaciones. Raras veces esas palabras dan aliento. Casi siempre se las oye como palabras de condenación, pensadas para estimular el sentimiento de culpa. No expresan amor, sino rechazo.

En cambio, si su cónyuge dice: «Me parece que me gustaría matricularme durante el otoño en algún programa para perder peso», entonces usted tiene la oportunidad de decirle palabras de aliento. Las palabras de aliento suenan parecidas a esto: «Si te decides a hacerlo, te puedo decir una cosa. Vas a triunfar. Es una de las cosas que me gustan de ti. Cuando te decides a hacer algo, lo haces. Si eso es lo que quieres hacer, puedes estar segura de que voy a hacer cuanto pueda para ayudarte. Y no te preocupes por lo que cueste el programa. Si eso es lo que quieres hacer, hallaremos el dinero». Unas palabras así le podrían dar a su cónyuge el valor necesario para llamar por teléfono al centro de pérdida de peso.

Dar aliento es algo que nos exige identificarnos con nuestro cónyuge y ver el mundo desde su perspectiva. En primer lugar, debemos aprender qué es importante para nuestro cónyuge. Solo entonces le podremos dar ánimo. Con nuestras palabras de aliento, estamos tratando de comunicarle lo siguiente: «Lo sé. Y me importa. Estoy contigo. ¿Cómo te puedo ayudar?» Estamos tratando de demostrar que creemos en el otro, y en sus capacidades. Estamos tratando de atribuirle mérito y alabarlo.

La mayoría de nosotros tenemos más potencial del que llegaremos a desarrollar jamás. Muchas veces, lo que nos detiene es la falta de valor. Un cónyuge amoroso nos puede proporcionar ese catalizador tan importante. Por supuesto, es posible que se le vuelva difícil decir palabras de aliento. Tal vez no formen parte de su lenguaje primario de amor. Quizá tenga que hacer un gran esfuerzo para aprender este segundo lenguaje. Eso va a ser especialmente cierto, si lo que usted tiene es un esquema de palabras de crítica y condenación, pero le puedo asegurar que ese esfuerzo habrá valido la pena.

Las palabras amables

El amor es amable. Por tanto, cuando tratemos de comunicarlo verbalmente, debemos utilizar palabras amables. Esto tiene que ver con nuestra forma de hablar. La misma oración gramatical puede tener dos significados distintos, según nuestra forma de decirla. Cuando decimos «Te amo» con bondad y ternura, podemos estar expresando genuinamente nuestro amor. En cambio, es distinto que digamos «¿Te amo?» Las interrogaciones cambian por completo el sentido de estas dos palabras. Algunas veces, nuestras palabras dicen una cosa, pero nuestro tono de voz dice otra. Estamos enviando un mensaje doble. Por lo general, nuestro cónyuge va a interpretar nuestro mensaje a partir de nuestro tono de voz, y no de las palabras que utilicemos.

Si decimos con sorna «Me encantaría lavar los platos esta noche», esas palabras no van a ser recibidas como una expresión de amor. En cambio, podemos hacer ver nuestro dolor, sufrimiento e incluso enojo, de una forma bondadosa, y eso va a ser una expresión del amor. «Me siento desilusionado y herido porque no te ofreciste a ayudarme anoche», dicho de una forma sincera y bondadosa, puede ser una expresión de amor. La persona que habla quiere que su cónyuge la conozca. Está dando los pasos para formar una intimidad a base de expresarle lo que siente. Le está pidiendo una oportunidad de hablar de algo que la hiere, con el fin de hallar la cura. Esas mismas palabras, expresadas en voz alta y dura, no van a ser una expresión de amor, sino una expresión de condena y juicio.

La forma en que hablamos tiene suma importancia. Un sabio de la antigüedad dijo en una ocasión: «La blanda respuesta quita la ira». Cuando su esposa está enojada y molesta, y lo fustiga acaloradamente con sus palabras, si usted toma la decisión de ser amoroso, no debe reaccionar echándole más leña al fuego, sino usando una voz suave. Debe recibir lo que ella le está diciendo como una información acerca de sus emociones y sentimientos. Le debe dejar hablar de lo herida que se siente, de su enojo y de la forma en que percibe los acontecimientos. Debe tratar de ponerse en su lugar, ver lo sucedido con los ojos de ella y después expresarle con suavidad y bondad lo que comprende sobre la razón por la cual ella se siente así. Si se ha comportado indebidamente con ella, debe estar dispuesto a confesárselo y pedirle perdón. Si su motivación es distinta a la que ella piensa que es, deberá ser capaz de explicársela bondadosamente. Necesita buscar la comprensión y la reconciliación, en lugar de tratar de demostrar que la forma en que usted percibe las cosas es la única forma lógica de interpretar lo sucedido. Eso es amor maduro; un amor al que aspiramos, si andamos en busca de un matrimonio en crecimiento.

El amor no lleva la cuenta de las ofensas recibidas. No saca a la luz los fallos del pasado. Nadie es perfecto. En el matrimonio no siempre hacemos lo que es mejor, o lo que es correcto. Algunas veces, hemos hecho y dicho cosas que han herido a nuestro cónyuge. No podemos borrar el pasado. Solo lo podemos confesar y aceptar que estuvo mal. Podemos pedir perdón y tratar de actuar de manera distinta en el futuro. Después de haber confesado mi pecado y haber pedido perdón, no puedo hacer nada más para mitigar el dolor que le pueda haber causado a mi cónyuge. Cuando es ella la que me ha hecho daño, lo ha confesado dolorosamente y me ha pedido perdón, yo tengo que escoger entre la justicia y el perdón. Si escojo la justicia y busco la forma de vengarme, o de hacerla pagar el mal que me ha hecho, me estoy convirtiendo en juez y la estoy convirtiendo a ella en la delincuente. La intimidad se vuelve imposible. En cambio, si decido olvidar, se podrá restaurar la intimidad. El camino del amor es el camino del perdón.

Me sorprende la cantidad de personas que enredan cada nuevo día con el ayer. Insisten en traer al presente los fallos del ayer y, al hacerlo, contaminan un día que podría haber sido maravilloso. «No puedo creer que lo hayas hecho. No creo que te lo vaya a perdonar jamás. Es imposible que sepas lo mucho que me heriste. No sé cómo te puedes quedar allí sentada, tan tranquila, después de haberme tratado así. Deberías estar arrastrándote de rodillas y suplicándome que te perdone. No sé si alguna vez te voy a poder perdonar». No son las palabras del amor, sino las de la amargura, el resentimiento y la venganza.

Lo mejor que podemos hacer con los fallos del pasado, es dejar que pasen a la historia. Sí, sucedió. Por supuesto que dolió. Y tal vez aún duela, pero ella ha reconocido su fallo y le ha pedido perdón. El pasado no lo podemos borrar, pero sí lo podemos aceptar como parte de la historia. Podemos tomar la decisión de vivir el presente libres de los fallos del ayer. El perdón no es un sentimiento, sino un compromiso que adquirimos. Al perdonar, escogemos manifestar misericordia; no echarle en cara la ofensa al que nos ha ofendido. El perdón es una expresión del amor. «Te amo. Me interesas y tomo la decisión de perdonarte. Aunque me siga sintiendo herido, no voy a permitir que eso que sucedió se interponga entre nosotros. Tengo la esperanza de que los dos podamos aprender de esta experiencia. Tú no eres una fracasada porque has fallado. Eres mi cónyuge, y juntos vamos a seguir adelante.» Son las palabras de reafirmación, expresadas en el dialecto de las palabras amables.

Palabras humildes

El amor no exige, sino que solicita. Cuando le exijo cosas a mi cónyuge, yo me convierto en el padre, y ella en la hija. El padre es el que le dice a la niña de tres años lo que debe hacer, y de hecho, lo que es imprescindible que haga. Eso es necesario, porque la niña de tres años no sabe navegar aún por las traicioneras aguas de la vida. En cambio, en el matrimonio hay igualdad; somos socios adultos. Claro que no somos perfectos, pero somos adultos y socios. Para desarrollar una relación íntima entre nosotros, necesitamos conocer cada cual los deseos del otro. Si queremos amarnos mutuamente, necesitamos saber lo que quiere la otra persona.

No obstante, la forma en que nosotros expresamos esos deseos tiene una importancia suma. Si dan la impresión de ser exigencias, habremos destruido la posibilidad de una intimidad y vamos a alejar a nuestro cónyuge. En cambio, si damos a conocer nuestras necesidades y nuestros deseos como peticiones, no estaremos lanzando ultimátum, sino orientando. El esposo que dice: «¿Sabes? ¿Esos pasteles de manzana que tú haces? ¿Podrías hacer uno esta semana? Me encantan esos pasteles», está orientando a su esposa acerca de la forma de amarlo, y de esta manera, está edificando su intimidad. Por otra parte, el esposo que dice: «No hemos comido un solo pastel de manzana desde que nació el bebé. Me imagino que no voy a volver a tener otro durante dieciocho años», ha dejado de ser adulto para regresar a una conducta de adolescente. Esas exigencias no edifican la intimidad. La esposa que dice: «¿Crees que podrías limpiar las canales del techo este fin de semana?», está expresando amor con la petición que está presentando. Pero la esposa que dice: «Si no limpias pronto las canales del techo, se van a venir al suelo. ¡Ya hay hasta árboles creciendo en ellas!», ha dejado de amar para convertirse en una madre tiránica.

Cuando usted solicita algo de su cónyuge, está reafirmando su valor y su capacidad. Básicamente, está indicando que ella tiene algo, o puede hacer algo, que tiene importancia y valor para usted. En cambio, cuando se pone con exigencias, se convierte, no en una persona que ama, sino en un tirano. En lugar de sentirse reafirmada, su esposa se va a sentir despreciada. La petición introduce el elemento de la decisión. Su compañera puede escoger entre responder positivamente a lo que le pide, o negárselo, porque el amor siempre es una decisión. Eso es lo que hace que tenga sentido. El hecho de saber que mi cónyuge me ama lo suficiente para responder de manera positiva a algo que le he pedido, me comunica en lo emocional que se interesa por mí, me respeta, me admira y quiere hacer algo para agradarme. No podemos conseguir un amor emocional por medio de las exigencias. Aunque mi cónyuge cumpla lo que le estoy exigiendo, no lo hará como expresión de amor. Va a ser un acto de temor, culpa o alguna otra emoción, pero no de amor. O sea, que la petición crea la posibilidad de expresar amor, mientras que la exigencia estrangula esa posibilidad.

Diversos dialectos

Las palabras de afirmación son uno de los cinco lenguajes básicos del amor. Sin embargo, dentro de ese lenguaje existen numerosos dialectos. Ya hemos hablado de algunos de ellos, y son muchos más. Se han escrito libros enteros y numerosos artículos sobre esos dialectos. Todos ellos tienen en común el uso de palabras para reafirmar a nuestro cónyuge. El psicólogo William James dijo que posiblemente la necesidad humana más profunda sea la de sentirnos valorados. Las palabras de afirmación satisfacen esa necesidad en muchas personas. Si usted no es una persona de muchas palabras, si este no es su lenguaje primario en el amor, le sugiero que se cree un cuaderno titulado «Palabras de afirmación». Cuando lea un artículo o un libro sobre el amor, escriba en el cuaderno las palabras de afirmación que encuentre. Cuando escuche una conferencia sobre el amor, u oiga a algún amigo diciendo algo positivo acerca de otra persona, escríbalo. Con el tiempo, va a coleccionar una buena lista de palabras que puede usar para comunicarle su amor a su cónyuge.

Tampoco podría tratar de decir unas palabras de afirmación indirectas; es decir, hablar positivamente de su cónyuge cuando ella no esté presente. Alguien terminará diciéndoselo a ella, y le va a ser totalmente acreditado como amor. Dígale a la madre de su esposa lo maravillosa que es ella. Cuando la madre le repita lo que usted le ha dicho, va a ir ampliado, y la acreditación va a ser mayor aun. Además, reafirme a su cónyuge frente a los demás cuando ella esté presente.

Cuando lo honren en público por algún logro que haya tenido, asegúrese de compartir esos méritos con su cónyuge. También podría ponerse a escribir palabras de afirmación. Las palabras escritas tienen el beneficio de que se pueden leer una y otra vez.

En Little Rock, estado de Arkansas, aprendí una importante lección acerca de las palabras de afirmación y los lenguajes del amor. Visité a Bill y Betty Jo en un hermoso día de primavera. Su casa se hallaba dentro de un grupo de casas más, con su cerca blanca, su césped verde, y una gran abundancia de flores primaverales. Era un lugar idílico. Sin embargo, una vez dentro de la casa, descubrí que hasta ahí llegaba el idealismo. Su matrimonio estaba por los suelos. Doce años y dos niños después del día de la boda, se preguntaban para qué se habrían casado. Parecían estar en desacuerdo en todas las cosas. En lo único que estaban de acuerdo era en que ambos amaban a sus hijos. A medida que se fue desplegando la historia, lo que fui observando era que Bill era un trabajador impulsivo, y le quedaba poco tiempo para Betty Jo. Ella trabajaba unas horas al día, mayormente para salir de la casa. Su método para enfrentarse a esa situación era aislarse el uno del otro. Trataban de poner distancia entre ellos, para que sus conflictos no parecieran tan graves. Pero la aguja de ambos tanques de amor marcaba «vacío».

Me dijeron que habían estado asistiendo a unas sesiones de consejería matrimonial, pero que no les parecía que tuvieran grandes progresos. Estaban asistiendo a mi seminario sobre el matrimonio, y yo ya me iba al día siguiente. Lo más probable era que aquel fuera mi único encuentro con Bill y Betty Jo. Decidí jugarme el todo por el todo.

Pasé una hora con cada uno de ellos por separado. Escuché con gran atención ambas versiones de la historia. Descubrí que, a pesar de lo vacías que eran sus relaciones, y de sus numerosos desacuerdos, había algunas cosas que cada uno valoraba en el otro. Bill reconocía: «Ella es una buena madre. También es buena ama de casa y una cocinera excelente cuando decide cocinar. Pero...», decía a continuación, «sencillamente, no me manifiesta afecto alguno. Yo me mato trabajando, y no veo agradecimiento de ninguna clase». En mi conversación con Betty Jo, ella estuvo de acuerdo en que era excelente en cuanto a sostener a la familia. «Pero...», se quejaba, «no hace nada en la casa para ayudarme, y nunca tiene tiempo para mí. ¿Para qué tener esta casa, la caravana y todas las demás cosas, si ni siquiera las llegamos a disfrutar juntos?»

Con esa información, decidí concentrar mi consejo, haciéndole solo una sugerencia a cada uno de ellos. Les dije por separado que ambos tenían en sus manos la clave para cambiar el clima emocional de su matrimonio. «Esa clave», les dije por separado, «consiste en expresar verbalmente su aprecio por las cosas que le agradan acerca de la otra persona y, por el momento, suspender las quejas acerca de las cosas que no le agradan». Revisamos los comentarios positivos que ya habían hecho el uno del otro, y ayudé a cada uno de ellos a escribir una lista con esos rasgos positivos. La lista de Bill se centraba en las actividades de Betty Jo como madre, ama de casa y cocinera. La lista de Betty Jo se centraba en lo duro que trabajaba Bill, y en la forma en que sostenía a la familia. Hicimos las listas lo más concretas que pudimos. La lista de Betty Jo se parecía a esta:

- En doce años, no ha faltado un solo día al trabajo. Despliega una gran energía en su forma de trabajar.
- Ha recibido varios ascensos a lo largo de los años. Siempre está pensando en la forma de mejorar su productividad.
- Hace puntualmente el pago de la hipoteca de la casa todos los meses.
- También paga la cuenta de la electricidad, la del gas y la del agua.
- Nos compró una caravana hace tres años.
- En la primavera y el verano, corta el césped todas las semanas, o contrata alguien que lo haga.
- En el otoño, recoge las hojas muertas o le paga a alguien para que lo haga.
- Aporta dinero en abundancia para la alimentación y la ropa de la familia.
- Saca la basura más o menos una vez al mes.
- Me da dinero para que le compre regalos de Navidad a la familia.
- Está de acuerdo en que yo use como me parezca el dinero que gano con mis horas de trabajo.

La lista de Bill se parecía a esta:

- Hace las camas todos los días.
- Limpia la casa con aspiradora una vez por semana.
- Envía a los niños a la escuela todas las mañanas después de haberles dado un buen desayuno.
- Cocina la cena unos tres días por semana.
- Compra los víveres para la casa.
- Ayuda a los niños con sus tareas.
- Transporta a los niños a la escuela y a las actividades de la iglesia.
- Da clases de primer grado en la escuela dominical.
- Lleva mi ropa a la tintorería.
- Lava la ropa, y plancha algunas cosas.

Yo les sugerí que les añadieran a las listas otras cosas que observaran en las siguientes semanas. También les sugerí que dos veces por semana, escogieran un rasgo positivo y le manifestaran verbalmente a su cónyuge que valoraban ese rasgo. Les hice otra indicación más. Le dije a Betty Jo que si Bill le hacía algún elogio, se limitara a aceptarlo y decir: «Gracias por haber dicho eso». A Bill le dije lo mismo. Los animé a hacer eso cada semana durante dos meses, y si lo hallaban útil, podrían seguirlo haciendo. Si aquel experimento no ayudaba al clima emocional de su matrimonio, entonces lo podrían desechar como un intento fallido más.

Al día siguiente tomé el avión de vuelta a mi casa. Me hice una nota para acordarme de llamarlos dos meses más tarde, a fin de ver qué había sucedido. Cuando llamé, a mediados del verano, les pedí hablar con cada uno de ellos por separado. Me asombré al descubrir que la actitud de Bill había dado un gigantesco paso al frente. Había adivinado que yo le había dado a Betty Jo el mismo consejo que a él, pero no importaba. Le encantaba aquello. Ella le estaba manifestando su aprecio por lo mucho que trabajaba, y por la forma en que sostenía a la familia. «En realidad, ha logrado que yo me vuelva a sentir como un hombre. Aún tenemos un largo camino por delante, doctor Chapman, pero creo de veras que vamos por el camino correcto».

En cambio, cuando hablé con Betty Jo, hallé que solo había dado un paso de bebé hacia delante. Me dijo: «Sí, las cosas han mejorado algo, doctor Chapman. Bill me está elogiando verbalmente, tal como usted sugirió, y me imagino que sea sincero. Pero, doctor Chapman, no pasa tiempo conmigo. Sigue tan ocupado con su trabajo, que nunca pasamos tiempo juntos».

Mientras escuchaba a Betty Jo, se me encendió una luz en la mente. Sabía que había acabado de hacer un descubrimiento importante. El lenguaje de amor de una persona no tiene por qué ser el lenguaje de amor de otra. Era evidente que el lenguaje de amor primario de Bill se basaba en las palabras de afirmación. Era un hombre acostumbrado a trabajar duro, y disfrutaba de su trabajo, pero lo que más quería de parte de su esposa, es que le expresara aprecio por ese trabajo. Es probable que este esquema se formara en él durante su niñez, y la necesidad de una afirmación de tipo verbal seguía siendo igualmente importante en su vida adulta. En cambio, Betty Jo estaba clamando emocionalmente, porque quería algo distinto. Las palabras positivas estaban bien, pero lo que anhelaba profundamente desde el punto de vista emocional era algo distinto. Esto nos lleva al segundo lenguaje del amor.

NOTAS

[1] Proverbios 18:21

[2] Proverbios 12:25.

Si el lenguaje de amor de su esposa es el de *las palabras de afirmación...*

Aquí tiene unas cuantas ideas más, especialmente dirigidas a los hombres. Escoja entre ellas para intentar algo nuevo que le parezca que la mujer de su vida va a apreciar.

- No se limite a decir: «Te ves bien». Diga: «Ese color te pega muy bien», o «Me gusta que uses el pelo de esa forma». Elogie un rasgo físico distinto cada día durante esta semana.
- Adquiera el hábito de mencionar algo concreto que haya observado, y tenga que ver con la persona que ella es. Ejemplos: «Te quería decir que realmente me encantó la forma en que le hablase a aquella anciana después del culto», o bien, «Me encanta salir a caminar y conversar contigo. Siempre me señalas cosas interesantes».
- Inicie sus conversaciones para animarla a que comparta con usted sus sueños y deseos más íntimos. Comience una campaña de afirmación verbal, a fin de inspirarle el valor que ella necesite para dar los pasos necesarios a fin de convertir esos sueños en realidad.
- Añada sus propias observaciones, que podrían ayudar a su esposa a identificar sus habilidades y puntos fuertes. Por ejemplo: «Nunca te había oído expresar tu interés por la enseñanza, pero por la forma en que manejas a los niños, me parece que podrías ser una maestra magnífica».
- Revise los libros de citas famosas y use papeles de notas para escribir en ellos aquellas citas que lo ayuden a expresar cómo se siente con respecto a su esposa. Deje esas notas en diversos lugares donde esté seguro de que ella las va a hallar.
- Si tiene habilidades artísticas, cree un cartelón o impreso con su nombre en el centro, rodeado de palabras y frases descriptivas, y nombres especiales que usted le da a ella. Si no tiene tanta capacidad

artística, use revistas y periódicos viejos para cortar y pegar mensajes al estilo de las notas para pedir rescate, en los cuales le exprese unas palabras de afirmación.

- Cree una cinta grabada para que ella la escuche mientras corre, conduce sola, trabaja, etc. La cinta puede tener cantos, poemas, relatos u otras cosas que a ella le agraden. Usted puede hacer de *disk jockey* y explicarle por qué ha ido incluyendo cada una de aquellas cosas.
- Envíele un mensaje por correo electrónico para darle ánimo, sobre todo si sabe que podría estar pasando por un día difícil. Ponga en él un enlace con algún portal divertido de la *web*.
- Practique el arte de elogiar a su esposa con sus peticiones, pero asegúrese de que ella sea siempre la que saque la mejor parte en el asunto. Por ejemplo: «Si te limpio el desván el sábado, ¿me podrías hacer uno de tus maravillosos pasteles de limón?».
- Piense en todas las discusiones y los problemas que hayan tenido recientemente, y trate de arreglar las cosas. (En muchas de las cosas que dice, lo podría ayudar el que comenzara diciendo: «Me porté como un tonto cuando...»).
- Aprenda a decir «Te amo», u otras expresiones de afirmación, en otro idioma.
- Adquiera el hábito de leer las tarjetas de felicitación en las tiendas, en busca de expresiones adecuadas sobre lo que usted siente por ella, y no se limite a darle una tarjeta en alguna de las ocasiones especiales «de costumbre».
- Compre un paquete de poesías con magneto detrás, y acostúmbrese a dejarle esas palabras de afirmación pegadas al refrigerador.
- Agradézcale algo que ella hace continuamente, y es muy probable que ni siquiera espere que nadie le agradezca.

Palabras de afirmación

Regalos

Tiempo de calidad

Actos de servicio

Toque físico

CINCO

Lenguaje #2 del amor:

Tiempo de *calidad*

Tenía que haberme dado cuenta desde el principio cuál era el lenguaje primario de amor de Betty Jo. ¿Qué me estaba diciendo aquella noche de primavera en que los visité en Little Rock? «Bill es fiel en cuanto a sostener a la familia, pero no pasa tiempo conmigo. ¿De qué nos sirven la casa, la caravana y todas las demás cosas, si nunca pasamos ningún tiempo juntos?» ¿Qué era lo que ella quería? Tiempo de calidad con Bill. Quería tener su atención. Quería que se centrara en ella, que le diera de su tiempo, que hicieran cosas juntos.

Al hablar de «tiempo de calidad» me refiero a entregarle por completo a alguien toda nuestra atención. No quiero decir que se sienten juntos en un sofá a ver televisión. Cuando pasamos el tiempo de esa manera, las que captan nuestra atención son la ABC o la NBC, y no nuestro cónyuge. De lo que estoy hablando es de sentarnos en el sofá con el televisor apagado, mirándonos de frente y conversando, entregándonos el uno al otro toda nuestra atención. Estoy hablando de salir a caminar los dos solos, o de salir a cenar, mirarse uno a otro y conversar. ¿Se ha fijado alguna vez que en un restaurante casi siempre se puede ver la diferencia entre una pareja que tiene una cita y un matrimonio? Los que forman la pareja que está en una cita se miran el uno al otro y conversan. Los matrimonios se quedan allí sentados, mirando lo que pasa en el restaurante. Cualquiera pensaría que han ido allí para comer.

Cuando yo me siento en el sofá con mi esposa y le doy toda mi atención durante veinte minutos, y ella hace lo mismo conmigo, nos estamos dando veinte minutos de vida. Esos veinte minutos nunca los volveremos a tener; nos estamos entregando mutuamente nuestras vidas. Es un poderoso comunicador emocional de amor.

No hay una medicina que pueda curar todas las enfermedades. En mi consejo a Bill y Betty Jo, cometí un grave error. Di por sentado que las palabras de afirmación iban a significar tanto para Betty, como lo que significaban para Bill. Tenía la esperanza de que si cada uno de ellos le daba al otro una afirmación verbal adecuada el clima emocional cambiaría, y ambos comenzarían a sentirse amados. Con Bill dio resultado. Comenzó a sentir de una forma más positiva hacia Betty Jo. Comenzó a sentir una valoración genuina de su dura labor. Sin embargo, con Betty Jo no resultó tan bien, porque las palabras de afirmación no eran su lenguaje primario en el amor. Su lenguaje era el del tiempo de calidad.

Volví a tomar el teléfono y le agradecí a Bill los esfuerzos que había hecho en los dos últimos meses. Le dije que había hecho un buen trabajo al tratar de afirmar verbalmente a Betty Jo, y que ella se había dado cuenta de la reafirmación que él le estaba brindando.

—Pero doctor Chapman —me dijo—, ella no se siente muy feliz aún. No creo que las cosas hayan mejorado mucho para ella.

—Tiene razón —le dije—, y creo que sé por qué. El problema está en que le sugerí el lenguaje de amor que no era.

Bill no tenía ni la más remota idea de lo que yo quería decir con eso. Le expliqué que aquello que hace que una persona se sienta emocionalmente amada, no siempre es lo que hace que otra se sienta así.

Estuvo de acuerdo en que su lenguaje consistía en las palabras de afirmación. Me dijo lo mucho que esas palabras habían significado para él siendo niño, y lo bien que se sentía cuando Betty Jo expresaba su agradecimiento por las cosas que él hacía. Le expliqué que el lenguaje de Betty Jo no era el de las palabras de afirmación, sino el del tiempo de calidad. Le expliqué el concepto de centrar por completo la atención en alguien; no hablarle mientras leemos el periódico o vemos la televisión, sino mirarle a los ojos, entregándole toda nuestra atención, haciendo con ella algo de lo que disfruta, y haciéndolo de todo corazón.

—Como ir a escuchar la orquesta sinfónica con ella —me dijo.

Entonces me di cuenta de que las luces se estaban encendiendo en Little Rock.

—Doctor Chapman, de eso es de lo que ella siempre se ha quejado. Yo no hacía cosas con ella; no pasaba tiempo con ella. "Solíamos ir a lugares y hacer cosas antes de casarnos", me decía, "pero ahora estás demasiado ocupado". Ahí mismo tiene el lenguaje de amor de ella; no me cabe la menor duda. Pero doctor Chapman, ¿qué voy a hacer? Mi trabajo me exige demasiado.

—Hábleme de eso —le contesté.

Durante los diez minutos siguientes, me hizo la historia de la forma en que había ido ascendiendo dentro de su organización, de lo duro que había trabajado y de lo orgulloso que se sentía de sus logros. Me habló de sus sueños para el futuro, y de que sabía que dentro de los cinco años siguientes llegaría donde quería llegar.

—¿Quiere llegar allí solo, o quiere llegar con Betty Jo y sus hijos? —le pregunté.

—Quiero que ella esté conmigo, doctor Chapman. Quiero que lo disfrutemos juntos. Por eso siempre me hiere tanto que me critique por pasar tiempo en mi trabajo. Lo estoy haciendo para nosotros. Quiero que participe en todo esto, pero ella siempre es muy negativa.

—¿Está comenzando a ver por qué ha sido tan negativa, Bill? —le pregunté.

—Su lenguaje en el amor es el del tiempo de calidad. Usted le ha dado tan poco tiempo, que tiene vacío su tanque de amor. No siente seguridad en el amor de usted. Por eso se ha dedicado a golpear lo que en su mente le estaba robando el tiempo de usted: su trabajo. En realidad no detesta su trabajo. Lo que detesta es el hecho de sentir que le llega tan poco amor de parte de usted. Solo hay una respuesta, Bill, y es costosa. Usted tiene que hacer el tiempo para Betty Jo. Tiene que amarla con el lenguaje de amor correcto.

—Sé que tiene razón, doctor Chapman. ¿Por dónde comienzo?

—¿Tiene a mano su bloque para escribir, el que usamos para la lista de cosas positivas acerca de Betty Jo?

—Aquí mismo está.

—Muy bien. Vamos a hacer otra lista. ¿Qué cosas sabe usted que a Betty Jo le gustaría que hiciera con ella? Cosas que haya mencionado a lo largo de los años.

He aquí la lista de Bill:

- Tomar nuestra caravana y pasarnos un fin de semana en las montañas (algunas veces con nuestros hijos, y otras nosotros dos solos).
- Encontrarme con ella para almorzar juntos (en un buen restaurante, y a veces hasta en el McDonald's).
- Buscar quien nos cuide a los hijos y sacarla a cenar, nosotros dos solos.
- Cuando llego a la casa por la tarde, sentarme a conversar con ella acerca del día, y escucharla mientras ella me cuenta lo que le ha pasado en su día. (Lo que no quiere es que me ponga a ver televisión mientras tratamos de hablar).
- Pasar tiempo hablando con nuestros hijos acerca de sus experiencias en la escuela.
- Pasar tiempo jugando con nuestros hijos.
- Salir de merienda campestre con ella y con nuestros hijos los sábados, sin quejarme de las hormigas y las moscas.
- Salir de vacaciones con la familia por lo menos una vez al año.

- Salir a caminar con ella, y conversar mientras caminamos. (Sin caminar delante de ella).

—Estas son las cosas de las que ella ha hablado a lo largo de los años —me dijo.

—Usted sabe lo que le voy a sugerir, Bill, ¿no es cierto?

—Que las haga.

—Así es. Una por semana durante los dos meses próximos. ¿Dónde va a encontrar el tiempo? Lo va a fabricar. Usted es un hombre sabio —le dije—. No estaría en el puesto que tiene, si no fuera bueno para tomar decisiones. Usted tiene capacidad para planificar su vida e incluir a Betty Jo en sus planes.

—Lo sé —me respondió—. Puedo hacerlo.

—Otra cosa, Bill. Esto no tiene por qué echar abajo sus metas como profesional. Solo significa que cuando alcance la cima, Betty Jo y sus hijos van a estar con usted.

—Eso es lo que quiero por encima de todo. Esté en la cima o no, lo que quiero es que ella sea feliz, y disfrutar de la vida con ella y con nuestros hijos.

Han pasado los años. Bill y Betty Jo han llegado a la cima y han vuelto, pero lo importante es que lo han logrado juntos. Los hijos ya se marcharon del nido, y tanto Bill como Betty Jo están de acuerdo en que estos son los mejores años de su vida. Bill se ha convertido en asiduo asistente a los conciertos sinfónicos, y Betty Jo ha hecho en su bloque de anotaciones una lista interminable de las cosas que valora en Bill. Él nunca se cansa de escucharlas. Ahora tiene su propia compañía, y se está volviendo a acercar a la cima. Su trabajo ya no es una amenaza para Betty Jo. Se siente emocionada con él, y anima a su esposo. Sabe que ella ocupa el primer lugar en su vida. Su tanque de amor está lleno, y si se comienza a vaciar, sabe que basta una simple petición por parte suya para conseguir que Bill le preste toda su atención.

La cercanía

La cercanía es un aspecto central del tiempo de calidad. No estoy hablando de proximidad. Dos personas que estén sentadas en la misma habitación se encuentran muy próximas, pero no siempre van a estar realmente cerca. La cercanía tiene que ver con el centro de la atención. Cuando un padre se sienta en el suelo para tirarle rodando una pelota a su niño de dos años, su atención no se está centrando en la bola, sino en su hijo. Durante ese breve instante, dure lo que dure, hay cercanía entre ellos. En cambio, si el padre está hablando por teléfono al mismo tiempo que hace rodar la pelota, su atención se encuentra diluida. Hay esposos y esposas que piensan estar pasando un tiempo juntos, cuando lo cierto es que solo están viviendo en una estrecha proximidad. Están en la misma casa al mismo tiempo, pero no están cercanos. El esposo que está viendo los deportes por televisión al mismo tiempo que le habla a su esposa, no le está dando tiempo de calidad, porque no le da toda su atención a ella.

Pasar tiempo de calidad no significa que tengamos que pasarnos momentos en los cuales todo lo que hagamos sea mirarnos a los ojos. Significa que estamos haciendo algo juntos y que le estamos prestando toda nuestra atención a la otra persona. La actividad a la que estemos dedicados ambos es algo incidental. En lo emocional, lo importante es que estemos pasando un tiempo centrados el uno en el otro. La actividad solo es un vehículo que crea esa sensación de cercanía. Lo importante cuando el padre le tira rodando la pelota al niño de dos años no es la actividad en sí, sino las emociones que se crean entre padre e hijo.

Así también, si un hombre y su esposa juegan juntos al tenis, y es un tiempo de calidad genuino, no se van a centrar en el juego, sino en el hecho de que están pasando un tiempo juntos. Lo que suceda en el nivel de las emociones es lo que importa. El hecho de pasar tiempo juntos en algo que nos interesa a ambos, nos comunica que estamos interesados el uno en el otro, que disfrutamos cuando estamos juntos, y que nos gusta hacer cosas juntos.

La conversación de calidad

Como las palabras de afirmación, el lenguaje del tiempo de calidad también tiene muchos dialectos. Uno de los dialectos más corrientes es el de la conversación de calidad. Al hablar de la conversación de calidad, me refiero a un diálogo comprensivo en el cual dos personas comparten sus experiencias, pensamientos, sentimientos y anhelos en un contexto amistoso y sin interrupciones. La mayoría de las personas que se quejan de que su cónyuge no habla, no quieren decir literalmente que nunca diga una palabra. Quieren decir que pocas veces participa en un diálogo comprensivo. Si el lenguaje primario de amor de su cónyuge es el del tiempo de calidad, ese tipo de diálogo tiene una importancia máxima para que sienta en sus emociones que es amado.

La conversación de calidad es muy distinta al primer lenguaje del amor. Las palabras de afirmación se centran en lo que estamos diciendo, mientras que la conversación de calidad se centra en lo que estamos oyendo. Si estoy compartiendo mi amor por usted a través del tiempo de calidad, y vamos a pasarnos ese tiempo conversando, eso significa que me voy a centrar en obtener algo de usted; en escuchar comprensivamente lo que me quiera decir. Le voy a hacer preguntas, no para importunarlo, sino con el genuino deseo de comprender sus pensamientos, sentimientos y anhelos.

Conocí a Patrick cuando tenía cuarenta y tres años, y llevaba diecisiete de casado. Lo recuerdo, porque sus primeras palabras fueron muy dramáticas. Se sentó en la silla de cuero de mi oficina, y después de una breve presentación, se inclinó hacia mí y me dijo con gran emoción:

—Doctor Chapman, he sido un tonto; un verdadero tonto.

—¿Qué lo ha llevado a esa conclusión? —le pregunté.

—Llevo casado diecisiete años —me dijo—, y mi esposa me ha dejado. Ahora me doy cuenta de lo tonto que he sido.

Yo le repetí mi pregunta original:

—¿En qué sentido ha sido un tonto?

—Mi esposa llegaba del trabajo y me hablaba de los problemas que había en su oficina. Yo la escuchaba, y después le decía lo que pensaba que ella debía hacer. Siempre le daba algún consejo. Le decía que tenía que enfrentarse al problema. "Los problemas no se resuelven solos. Tienes que hablar con la gente involucrada, o con tu supervisor. Tienes que tratar de resolver esos problemas". Al día siguiente volvía del trabajo y me hablaba de los mismos problemas. Yo le preguntaba si había hecho lo que le había sugerido el día anterior. Sacudía la cabeza y me decía que no. Entonces, yo repetía mi consejo. Le decía que esa era la forma de enfrentarse a la situación. Llegaba al día siguiente, y me volvía a hablar de los mismos problemas. Otra vez, le preguntaba si había hecho lo que le había sugerido. Volvía a sacudir la cabeza y decirme que no.

»Después de tres o cuatro tardes así, yo me enojaba. Le decía que no esperara comprensión alguna de parte mía, si no estaba dispuesta a aceptar los consejos que le daba. Ella no tenía por qué vivir bajo esa clase de estrés y de presiones. Podía resolver el problema con solo hacer lo que yo le decía. Me dolía ver que estaba viviendo bajo un estrés tan grande, porque sabía que no tenía por qué vivir así. En la siguiente ocasión en que hablaba de nuevo del problema, yo le decía: "No quiero oír nada de eso. Ya te dije lo que tienes que hacer. Si no vas a escuchar mis consejos, no quiero oír nada".

»Yo me aislaba y seguía en mis cosas. Qué tonto fui —me dijo—. ¡Qué tonto! Ahora me doy cuenta de que ella no quería consejos cuando me hablaba de sus luchas en el trabajo. Lo que deseaba era comprensión. Quería que la escuchara, que le prestara atención, que le hiciera saber que yo comprendía su dolor, su estrés, sus presiones. Quería saber que yo la amaba, y que estaba de su lado. No quería consejos; todo lo que quería era saber que yo la comprendía. Pero yo nunca la traté de comprender. Estaba demasiado ocupado con mis consejos. ¡Qué tonto! Y ahora, se me fue. "¿Por qué uno no es capaz de ver estas cosas cuando está pasando por ellas? —me preguntó—. Estaba ciego ante lo que estaba sucediendo. Ahora vengo a comprender la forma en que le fallé".

La esposa de Patrick le había estado suplicando que tuvieran una conversación de calidad. Emocionalmente, anhelaba que él centrara en ella su atención, escuchando sus dolores y frustraciones. Patrick no se estaba centrando en escucharla, sino en hablar. Solo escuchaba lo suficiente para saber cuál era el problema, y formular una solución. No escuchaba lo suficiente, ni lo suficientemente bien, para escuchar su clamor en busca de apoyo y comprensión.

Muchos de nosotros somos como Patrick. Hemos sido educados para analizar los problemas y crear soluciones. Nos olvidamos de que el matrimonio es una relación, y no un proyecto que debamos terminar, o un problema que debamos resolver. Las relaciones piden que escuchemos con compasión, tratando de comprender los pensamientos, sentimientos y anhelos de la otra persona. Debemos estar dispuestos a aconsejar, pero solo cuando nos lo pidan, y nunca con un estilo de condescendencia. La mayoría de nosotros hemos sido poco capacitados para escuchar. Somos mucho más eficaces al pensar y hablar. Es posible que aprender a escuchar sea tan difícil como aprender un idioma extranjero, pero debemos aprender si queremos comunicar amor. Esto es especialmente cierto, si el lenguaje primario de amor de su cónyuge es el tiempo de calidad, y su dialecto es la conversación de calidad. Por fortuna, se han escrito numerosos libros y artículos sobre el desarrollo del arte de escuchar. No voy a dedicarme a repetir lo que ya está escrito, pero sí le sugiero el siguiente resumen de consejos prácticos.

1. *Mantenga contacto visual cuando le hable su cónyuge*. Esto impide que su mente divague y le comunica que usted le está prestando toda su atención.
2. *No haga otra cosa al mismo tiempo que escucha a su cónyuge*. Recuerde que el tiempo de calidad consiste en prestarle a la otra persona toda su atención. Si usted está mirando la televisión, leyendo o haciendo alguna otra cosa en la cual se encuentra profundamente interesado, y no lo puede dejar al instante, dígale la verdad a su cónyuge. Esta sería una forma positiva de hacerlo: «Sé que me estás tratando de hablar, y estoy interesado en escucharte, pero quiero que recibas toda mi atención cuando lo haga. En este preciso momento no puedo, pero si me das diez minutos para terminar con esto, me voy a sentar a escucharte». La mayoría de los cónyuges respetan una petición así.

3. *Esté atento a los sentimientos*. «¿Qué emoción está sintiendo mi cónyuge?» Cuando le parezca tener la respuesta, confírmela. Por ejemplo: «Me parece que te estás sintiendo desilusionada porque a mí se me olvidó ________________». Eso le da la oportunidad de aclarar sus sentimientos. También le comunica que usted está escuchando con toda atención lo que ella le dice.
4. *Observe el lenguaje corporal*. Los puños cerrados, las manos temblorosas, las lágrimas, el ceño fruncido y los movimientos de los ojos le pueden dar indicaciones sobre lo que está sintiendo la otra persona. Algunas veces, el lenguaje corporal da un mensaje, mientras que las palabras dan otro. Pida la aclaración para asegurarse de que sabe lo que ella está pensando y sintiendo en realidad.
5. *Niéguese a interrumpir*. Las investigaciones recientes señalan que la persona promedio escucha durante diecisiete segundos solamente, antes de interrumpir para introducir sus propias ideas. Si yo le presto a usted toda mi atención mientras habla, me abstendré de defenderme, de lanzarle acusaciones o de proclamar dogmáticamente mi posición. Mi meta es descubrir sus pensamientos y sentimientos. Mi objetivo no es defenderme ni enderezarlo a usted. Es comprenderlo.

Aprenda a hablar

La conversación de calidad no exige solo que seamos comprensivos al escuchar, sino también que nos revelemos a nosotros mismos en ella. Cuando una esposa dice: «Quisiera que mi esposo hablara. Nunca sé lo que piensa o siente», está suplicando que haya intimidad. Quiere sentirse cerca de su esposo, pero ¿cómo se puede sentir cerca de alguien al que no conoce? Para que ella se pueda sentir amada, él tiene que aprender a revelarse a sí mismo. Si el lenguaje primario de amor de ella es el tiempo de calidad, y su dialecto es la conversación de calidad, su tanque emocional de amor nunca se va a llenar mientras él no le comunique sus pensamientos y sentimientos.

Hay gente a la que no le es fácil revelarse a sí misma. Muchos adultos crecieron en un hogar donde no se animaba a expresar los pensamientos y sentimientos, sino que se condenaba el hacerlo. Pedir un juguete equivalía a recibir un discurso sobre el triste estado de la economía familiar. El niño salía de la experiencia, sintiéndose culpable por haber tenido aquel deseo, y aprendía muy pronto a no decir lo que quería. Cuando expresaba enojo, sus padres le respondían con unas duras palabras de condenación. De esta manera, el niño fue aprendiendo que no es adecuado expresar los sentimientos de ira. Si se le hacía sentir culpable por expresar desilusión al no poder ir a la tienda con su padre, aprendía a mantener callada esa desilusión. Muchos de nosotros, cuando llegamos a la edad adulta, hemos aprendido a negar nuestros sentimientos. Ya no estamos en contacto con nuestro ser emocional.

Una esposa le dice a su esposo: «¿Cómo te sentiste con lo que hizo Don?». Y el esposo le responde: «Me parece que hizo mal. Habría debido...» pero no le está diciendo cómo se siente. Está expresando lo que piensa. Tal vez tenga una razón para sentirse enojado, herido o desilusionado, pero ha vivido por tanto tiempo en el mundo del pensamiento que no reconoce sus sentimientos. Cuando se decida a aprender el lenguaje de la conversación de calidad, va a ser como si estuviera aprendiendo una lengua extranjera. El punto por donde debe comenzar es la entrada en contacto con sus sentimientos, la creación de conciencia de que es una criatura con emociones, a pesar del hecho de que se le ha negado esa parte de su vida.

Si usted necesita aprender el lenguaje de la conversación de calidad, comience por observar las emociones que siente cuando está lejos de su hogar. Lleve consigo una pequeña libreta y manténgala cerca todos los días. Tres veces al día, pregúntese: «¿Qué emociones he sentido en las últimas tres horas? ¿Qué sentí cuando me dirigía al trabajo y el que iba detrás de mí se acercaba tanto a mi auto? ¿Qué sentí cuando me detuve en la gasolinera y la bomba automática no paró, de manera que el costado del auto se llenó de gasolina? ¿Qué sentí cuando llegué a la oficina y me enteré de que mi secretaria había sido asignada a un trabajo especial por toda la mañana? ¿Qué sentí cuando mi supervisor me dijo que el proyecto en el que yo estaba trabajando tenía que estar terminado en tres días, cuando yo pensaba que disponía de dos semanas más?»

Escriba sus sentimientos en la libreta, y una o dos palabras que lo ayuden a recordar el suceso correspondiente a cada sentimiento. Su lista se podría parecer a esta:

Suceso	*Sentimientos*
✧ auto muy cerca	✧ enojado
✧ gasolinera	✧ muy molesto
✧ sin secretaria	✧ desanimado
✧ tres días para el proyecto	✧ frustrado y ansioso

Repita este ejercicio tres veces al día, y va a desarrollar conciencia de su naturaleza emocional. Usando la libreta, comuníquele brevemente sus emociones y los sucesos que las motivaron a su cónyuge cuantos días le sea posible. En unas pocas semanas, se va a sentir más cómodo al expresarle sus emociones. Y al final, va a poder hablar tranquilamente de sus emociones hacia su cónyuge, los hijos y los sucesos que se produzcan dentro del hogar. Recuerde que las emociones en sí no son ni buenas ni malas. Solo son nuestras respuestas psicológicas ante los acontecimientos de la vida.

A partir de nuestros pensamientos y emociones, terminamos tomando nuestras decisiones. Cuando el otro conductor lo estaba siguiendo muy de cerca en la carretera, y usted se sentía enojado, tal vez pensara así: *Quisiera que se apartara un poco; quisiera que me rebasara; si supiera que no me iban a atrapar, pisaría el acelerador y lo dejaría en el limbo; frenaría de pronto y dejaría que su compañía de seguros me comprara un auto nuevo; tal vez lo mejor sea que me salga de la carretera y lo deje que pase.*

Al final, o usted tomó alguna decisión, o el otro conductor se echó atrás, giró en alguna parte o lo pasó, y usted llegó sano y salvo al trabajo. En cada uno de los sucesos de la vida tenemos emociones, pensamientos, deseos y, finalmente, acciones. La expresión de este proceso es la que llamamos revelación de sí mismo. Si usted decide aprender el dialecto de amor de la conversación de calidad, este es el camino que debe seguir para aprenderlo.

Los tipos de personalidad

No todos estamos fuera de contacto con nuestras emociones, pero cuando se trata de hablar, a todos nos afecta nuestra personalidad. He observado que hay dos tipos básicos de personalidad. Al primero le suelo llamar el «mar Muerto». En la pequeña nación de Israel, el mar de Galilea desagua hacia el sur por medio del río Jordán, que desemboca en el mar Muerto. Y el mar Muerto no va a ninguna parte. Recibe, pero no da. Este tipo de personalidad recibe un gran número de experiencias, emociones y pensamientos a lo largo del día. Tiene un gran depósito donde almacena esa información, y se siente perfectamente feliz sin decir nada. Si usted le pregunta a una personalidad del tipo mar Muerto: «¿Qué anda mal? ¿Por qué no dice nada esta noche?», es probable que le responda: «No sucede nada. ¿Qué le hace pensar que algo ande mal?». Y esa respuesta es perfectamente sincera. Se contenta con no hablar. Sería capaz de conducir desde Chicago hasta Detroit sin decir una sola palabra, y se sentiría perfectamente feliz.

En el otro extremo se encuentra el «arroyo charlatán». En esta personalidad, todo cuanto entre por las puertas de los ojos o de los oídos, sale por la puerta de la boca, y raras veces transcurren más de seis segundos entre ambas cosas. Cuanto ven, cuanto oyen, lo dicen. Es más, si no hay nadie en casa para hablarle, llaman a alguien por teléfono: «¿Sabes lo que vi? ¿Sabes lo que oí?». Si no pueden encontrar a nadie en el teléfono, tal vez se pongan a hablar solos, porque no tienen tanque de reserva. Muchas veces, un mar Muerto se casa con un arroyo charlatán. Eso sucede porque cuando andan de novios, parece una combinación muy atractiva.

Si usted es un mar Muerto y sale de cita con un arroyo charlatán, va a pasar una tarde maravillosa. No va a tener que pensar: «¿Cómo hago para comenzar la conversación hoy? ¿Cómo mantengo viva la conversación?». En realidad, no va a tener que pensar nada. Todo lo que va a tener que hacer es asentir con la cabeza y decir: «Ajá». Ella va a llenar sola toda la tarde, y usted se va a ir para su casa pensando: «¡Qué persona tan maravillosa!». Por otra parte, si usted es un arroyo charlatán, y sale de cita con un mar Muerto, también su tarde va a ser maravillosa, porque los mares Muertos son los que mejor escuchan en el mundo. Usted va a poder hablar sin parar durante tres horas. Él la va a escuchar atentamente, y va a volver a su casa diciendo: «¡Qué persona tan maravillosa!». La atracción es mutua. En cambio, cinco días después de la boda, una mañana el arroyo charlatán se despierta y dice: «Llevamos cinco años de casados, y no lo conozco». El mar Muerto dice: «La conozco demasiado bien. Cuánto querría que dejara de hablar y me diera un descanso». En todo esto, la buena noticia es que los mares Muertos pueden aprender a hablar, y los arroyos charlatanes pueden aprender a escuchar. Nuestra personalidad influye sobre nosotros, pero no nos controla.

Una forma de aprender nuevos esquemas consiste en fijar un momento diario para compartir, en el cual cada uno hable de tres cosas que le han pasado durante el día, y de la forma en que se sintieron cuando pasaron. Yo lo llamo el «requisito diario mínimo» para un matrimonio saludable. Si comienzan con el mínimo diario, en pocas semanas o pocos meses podrían descubrir que la conversación de calidad entre ambos se produce con una libertad mayor.

Las actividades de calidad

Además del lenguaje básico de amor del tiempo de calidad, o de la entrega total de nuestra atención a nuestro cónyuge, existe otro dialecto llamado «actividades de calidad». En un seminario para matrimonios que di recientemente, les pedí a las parejas que terminaran la frase siguiente: «Cuando me siento más amado(a) por mi esposa(o) es cuando ____________________». He aquí la respuesta de un esposo de veintinueve años que lleva ocho años casado: «Cuando me siento más amado por mi esposa es cuando hacemos cosas juntos; las que a mí me gusta hacer y las que le gusta hacer a ella. Hablamos más. Nos sentimos como si fuéramos novios otra vez». Es una respuesta típica de alguien cuyo lenguaje primario de amor es el tiempo de calidad. Lo que destaca es el hecho de estar juntos, hacer cosas juntos, entregarse mutuamente una atención total.

Entre las actividades de calidad se puede incluir todo aquello en lo cual uno de los dos tiene interés, o tal vez ambos. Lo importante no es lo que estén haciendo, sino por qué lo están haciendo. El propósito es experimentar algo juntos; salir de allí con este sentimiento: «Me quiere. Estuvo dispuesto a hacer conmigo algo que me gusta, y lo hizo con una actitud positiva». Eso es amor, y para algunas personas, es la voz más fuerte del amor.

Tracie creció con las sinfonías. A lo largo de toda su niñez, su casa estuvo llena de música clásica. Por lo menos una vez al año, acompañaba a sus padres a escuchar una orquesta sinfónica. En cambio, Larry creció con la música «country y western». En realidad, nunca había asistido a un concierto, pero siempre tenía la radio encendida, y en sintonía con una estación de música *country*. A las sinfonías las llamaba «música para ascensores». De no haberse casado con Tracie, habría podido pasarse la vida entera sin asistir jamás a un concierto de orquesta sinfónica. Antes de casarse, cuando él estaba aún en el obseso estado del enamoramiento, asistió a uno de esos conciertos. Pero aun en su eufórico estado emocional, su actitud fue: «¿A esta cosa tú le llamas música?». Después de casarse, no esperaba tener que repetir aquella experiencia. Sin embargo, cuando descubrió varios años más tarde que el tiempo de calidad era el lenguaje primario de amor de Tracie, y que a ella le gustaba en especial el dialecto de las actividades de calidad, y que asistir a la sinfónica era una de esas actividades, decidió acompañarla con espíritu entusiasta. Su propósito estaba claro: No era asistir al concierto, sino amar a Tracie y hablar en voz alta el lenguaje de ella. Con el tiempo, llegó a valorar la música sinfónica y hasta disfrutaba de vez en cuando de uno o dos movimientos. Tal vez nunca se convierta en amante de las sinfonías, pero sí se ha vuelto un perito en amar a Tracie.

Entre las actividades de calidad puede haber cosas como crear un jardín, visitar los mercados de baratillo, salir en busca de antigüedades, escuchar música, salir juntos de merienda campestre, dar largas caminatas o lavar el auto juntos en un cálido día de verano. El único límite que tienen esas actividades es el determinado por su interés y su disposición a intentar experiencias nuevas. Los ingredientes esenciales de una actividad de calidad son: (1) que por lo menos uno de los dos la quiera realizar, (2) que el otro esté dispuesto a realizarla, (3) que los dos sepan por qué la están realizando: para expresarse amor al estar juntos.

Uno de los productos secundarios de las actividades de calidad es que proporcionan un banco de recuerdos del cual se pueden volver a sacar en años futuros. Es afortunada la pareja que recuerda una caminata a primera hora de la mañana junto a la costa, la primavera en que sembraron el jardín, la ocasión en que los picó la ortiga mientras trataban de cazar a un conejo por el bosque, la noche que asistieron juntos a su primer juego de las grandes ligas de béisbol, la única vez que fueron juntos a esquiar y él se rompió una pierna, los parques de diversiones, los conciertos, las catedrales y, sí, la maravilla de meterse detrás de la caída de agua después de la caminata de tres kilómetros. Al recordarlo, casi pueden sentir el agua que los rociaba. Esos son los recuerdos del amor, sobre todo para la persona cuyo lenguaje primario de amor es el tiempo de calidad.

Ahora bien, ¿dónde encontramos tiempo para este tipo de actividades, sobre todo si ambos tenemos responsabilidades fuera del hogar? El tiempo lo hacemos, tal como lo hacemos para el almuerzo y la cena. ¿Por qué? Porque es tan esencial para nuestro matrimonio, como las comidas lo son para nuestra salud. ¿Que es difícil? ¿Que exige una planificación cuidadosa? Sí. ¿Significa que tendremos que dejar de lado algunas actividades individuales? Tal vez. ¿Significa que vamos a hacer algunas cosas de las cuales en realidad no disfrutamos gran cosa? Por supuesto. ¿Vale la pena? Sin duda alguna. ¿Qué gano con eso? El placer de vivir con una esposa que se siente amada, y de saber que he aprendido a hablar con claridad su lenguaje de amor.

Les quiero dar las gracias personalmente a Bill y Betty Jo, de Little Rock, que me enseñaron lo que valen el lenguaje de amor número uno, el de las palabras de afirmación, y el número dos, el del tiempo de calidad. Ahora, pasamos a Chicago y al lenguaje de amor número tres.

Si el lenguaje de amor de su esposa es el *tiempo de calidad...*

¿Necesita unas cuantas ideas más? Pruebe algunas de estas con la mujer de su vida.

- Respete las tendencias de su cónyuge a madrugar, o a vivir de noche. Planifique sus tiempos de calidad de acuerdo con el horario de ella. Ponga el despertador para una hora más temprana, o tome café para mantenerse despierto hasta más tarde; haga lo que sea necesario para que ella sienta que esos tiempos que pasan juntos son especiales.
- Sacrifique algo que ama para crear el tiempo que necesita a fin de compartir con ella: olvídese del juego de golf de los sábados por la mañana, renuncie durante una temporada al equipo de baloncesto de la iglesia, elimine los compromisos de negocios que no sean esenciales. Cuando usted haga esto, le estará enviando un poderoso mensaje que le dirá que ella es más importantes que estas cosas.
- Hagan cada cual una lista de «Nuestros diez mejores momentos juntos como pareja». Cuando terminen, comparen sus listas y vean en cuántos de sus recuerdos favoritos coinciden. Usen las listas para crear nuevos «grandes recuerdos».
- Muchos nombres necesitan «desaprender» la falta de atención. Si se le hace difícil dedicarle toda su atención a una sola cosa, practique a base de escuchar a sus hijos cuando se pongan muy conversadores, o de poner suma atención al sermón del domingo de principio a fin, o de escuchar música sin permitir que su mente divague.
- Hay parejas que se juntan mucho más que otras. Si es ese el caso de ustedes, no traten de hacer que todos los momentos que sean juntos sean «tiempo de calidad». Designen tiempos y lugares concretos para planificar esa cercanía.
- Si es su esposa la que suele estar escasa de tiempo, tal vez de vez en cuando usted pudiera hacer una o más de esas tareas que ella tanto

teme, y que tanto tiempo le consumen. Pague las cuentas, haga los encargos, acueste a los niños... y libérela para tener tiempo de calidad.

- Si por naturaleza usted no se siente cómodo conversando, póngase en el lugar del anfitrión de un programa de entrevistas. Haga una de esas «entrevistas» con un buen grupo de preguntas que permitan que su esposa sea la que más hable.
- Busque una actividad que a usted le guste hacer, y que complemente algo de lo cual ella disfrute, de manera que puedan estar más tiempo juntos. Si a ella le gusta ir al gimnasio, y a usted le gustan los juegos de computadora, van a tener poco tiempo de calidad. En cambio, si usted está dispuesto a acompañarla al gimnasio, o a buscarse algo nuevo que puedan hacer juntos, como observar aves o hacer comida de altura, va a añadir una nueva dimensión a su relación. Hasta podrían buscarse unas clases de educación de adultos, y hacer que el tiempo de las tareas cuente como tiempo de calidad juntos.
- Si son una pareja que ha pasado ya de la etapa de recién casados, es fácil que gran parte de su tiempo y de su conversación se centre en la mecánica de la vida: cuándo hay que llevar el perro al veterinario, dónde está el rociador para limpiar las ventanas, cuánto debemos donar a nuestro colegio universitario. Trate de controlar esto, asegurándose de que la lista de cosas por hacer no consume todo su tiempo y su conversación.
- Sorpréndala con dos entradas para una película que sabe que ella disfrutaría en especial. Después, llévela a cenar y escúchela mientras revisa la película.
- Si tienen la costumbre de orar juntos, añadan un poco más de tiempo para lograr cercanía. Mientras están pasando un tiempo de calidad con Dios, pásenlo también el uno con el otro.
- Escuche con atención cuando ella le hable de sus recuerdos favoritos de la niñez, y trate de edificar sobre ellos. Si ella creció en un rancho y le gustan los caballos, pero ahora está metida en una gran ciudad,

tal vez la podría llevar a pasear en carruaje y tener así un tiempo de calidad. Si siempre le ha gustado la navegación a vela, tal vez pueda alquilar un barco.

- Si lo permiten sus horarios, busquen oportunidades de tomarse un día libre, en invierno o en verano. Olvídense de lo que tenían planificado y hagan algo, lo que sea, pero que sea espontáneo.
- Si a veces son los viajes los que hacen que su relación se vuelva tensa, hablen sobre las formas de sacar adelante un plan sustituto para lograr la cercanía. Usted la podría llamar en momentos fijados de antemano, o podrían hacer planes para ver el mismo programa de televisión y comentarlo más tarde por teléfono, o mandarse mensajes instantáneos por la Internet.
- Vayan escogiendo por turnos los libros que van a leer. Señalen páginas o capítulos para leerlos individualmente en su propio tiempo, y después hablar del contenido durante su tiempo de calidad juntos. También pueden leer en voz alta el uno para el otro.
- Los viajes en auto tienden a favorecer la conversación entre muchas parejas, así que salgan a dar un largo viaje. Podrían ir hasta un restaurante favorito, a dos o tres horas de distancia, almorzar y después regresar.
- Si se les acaban los temas de conversación, aprendan a disfrutar juntos del silencio. Preparen un reloj y acuerden no decir nada mientras contemplan la caída de la tarde, o caminan por el bosque.
- Guarden una buena pregunta de sondeo para el rito de todas las noches de prepararse para la cama. Adquieran el hábito de tener pequeños momentos de calidad cada noche.
- Usted tiene que hacer cosas en la casa de todas formas, así que, ¿por qué no convertirlas en momentos para una conversación de calidad? Compartan tareas como la de limpiar la casa, y conversen mientras quitan el polvo, friegan y demás.
- Recuerden que el dinero usado en pagarle a la persona que cuida de los niños mientras nosotros salimos, es dinero bien empleado.

Palabras de afirmación

Regalos

Tiempo de calidad

Actos de servicio

Toque físico

SEIS

LENGUAJE #3 DEL AMOR:

Regalos

ESTABA EN CHICAGO CUANDO ESTUDIÉ ANTROPOLOGÍA. POR MEDIO DE unas etnografías detalladas, visité a diversos pueblos fascinantes del mundo entero. Fui a la América Central y estudié las avanzadas culturas de los mayas y los aztecas. Crucé el Pacífico y estudié las tribus de la Melanesia y la Polinesia. Estudié a los esquimales de las tundras del norte y a los aborígenes ainos de Japón. Examiné los esquemas culturales que rodean al amor y al matrimonio, y descubrí que en todas las culturas que estudié, la entrega de regalos formaba parte del proceso de amor y matrimonio.

A los antropólogos les fascinan los esquemas culturales que tienden a extenderse a las distintas culturas, y a mí también. ¿Será acaso que la entrega de regalos constituye una expresión fundamental de amor que trasciende las barreras culturales? ¿Va acompañada siempre la actitud de amar por el concepto de dar? Estas preguntas serán académicas y un tanto filosóficas, pero si la respuesta es afirmativa, tiene unas consecuencias profundamente prácticas para las parejas estadounidenses.

Hice un viaje al campo antropológico de la isla de Dominica. Llevábamos el propósito de estudiar la cultura de los indios caribes, y en ese viaje conocí a Fred. No era caribe; era un joven de color de veintiocho años. Había perdido una mano en un accidente mientras pescaba con dinamita. Desde el accidente, no había podido continuar pescando. Tenía mucho tiempo libre, y a mí me agradó su compañía. Pasamos horas juntos, hablando de su cultura.

Desde mi primera visita a su casa, me dijo: «Señor Gary, ¿le gustaría tomar jugo?», a lo cual yo respondí con entusiasmo. Entonces se volvió a su hermano menor y le dijo: «Vete a buscarle jugo al señor Gary». Su hermano se dio media vuelta, tomó el sendero, se subió a un cocotero y volvió con un coco verde. «Ábrelo», le ordenó Fred. Con tres rápidos movimientos de machete, su hermano abrió el coco, dejando un agujero triangular en la parte superior. Fred me entregó el coco y me dijo: «Jugo para usted». Era verde, pero lo bebí todo, porque sabía que era un regalo de amor. Yo era su amigo, y a los amigos se les da jugo.

Al final de las semanas que pasamos juntos, mientras me preparaba para marcharme de aquella pequeña isla, Fred me dio un recuerdo final de su amor. Era un palo torcido de cuarenta centímetros de largo que había sacado del océano. Estaba totalmente pulido de tanto golpear contra las rocas. Me dijo que el palo había vivido por mucho tiempo en las orillas de Dominica, y él quería que yo lo tuviera como recuerdo de aquella hermosa isla. Aun hoy, cuando miro el palo, casi puedo escuchar el sonido de las olas del mar Caribe, pero me recuerda menos a Dominica que al afecto de Fred.

Un regalo es algo que uno puede tomar en su mano y decir: «Mira, estaba pensando en mí», o «Ella se acordó de mí». Tenemos que pensar en alguien para hacerle un regalo. El regalo en sí es un símbolo de ese pensamiento. No importa que cueste dinero. Lo importante es que usted pensó en ella. Y no es solo el pensamiento que hay en la mente lo que cuenta, sino el pensamiento expresado al conseguir el regalo y entregarlo como expresión de amor.

Una madre recuerda el día que su hijo le trajo una flor del patio para regalársela. Se siente amada, aunque se trate de una flor que no quería que nadie arrancara. Desde su más tierna edad, los niños se sienten inclinados a hacerles regalos a sus padres, lo cual podría ser otra indicación de que la entrega de regalos es algo fundamental en el amor.

Los regalos son símbolos visuales del amor. La mayoría de las ceremonias nupciales comprenden la entrega y recepción de los anillos. La persona que dirige la ceremonia dice: «Estos anillos son señales exteriores y visibles de un lazo interno y espiritual que une sus dos corazones en un amor que no tendrá fin». No se trata de una retórica sin sentido. Es la expresión verbal de una verdad significativa: los símbolos tienen valor emocional. Tal vez esto se manifieste de manera más gráfica aun cuando se acerca la desintegración de un matrimonio y el esposo o la esposa deja de usar el anillo de bodas. Es una señal visual de que el matrimonio tiene serios problemas. Un esposo decía: «Cuando ella me tiró sus anillos de boda y salió enojada de la casa, tirando la puerta, supe que nuestro matrimonio se encontraba en un serio problema. Tardé dos días en recoger del suelo aquellos anillos. Cuando por fin lo hice, lloré sin consuelo». Los anillos eran símbolo de lo que debió ser, pero al estar en la mano de él, y no en el dedo de ella, eran el recuerdo visual de que el matrimonio se estaba yendo al suelo. Aquellos anillos solitarios agitaron profundas emociones en el esposo.

Los símbolos visuales del amor son más importantes para unas personas que para otras. Por eso cada cual tiene una actitud distinta hacia los anillos de boda. Hay quien nunca se vuelve a quitar el anillo después de la boda. Otros ni siquiera usan la alianza nupcial. Es otra señal de que las personas tienen distintos lenguajes primarios para el amor. Si recibir regalos es mi lenguaje primario en el amor, le voy a dar un gran valor al anillo que usted me ha dado, y lo voy a usar con gran orgullo. Además, me voy a sentir profundamente emocionado con otros regalos que me dé a lo largo de los años. Los voy a ver como expresiones de amor. Sin los dones como símbolos visuales, es posible que yo ponga en duda su amor.

Los regalos pueden tener cualquier tamaño, color o forma. Los hay caros y los hay gratuitos. Si alguien tiene como lenguaje primario en el amor el de recibir regalos, le va a importar muy poco lo que ese regalo cueste, a menos que ese precio esté muy alejado de la cantidad que uno se puede permitir gastar en él. Si un millonario tiene por costumbre regalar billetes de a dólar, es muy posible que su esposa se pregunte si se trata de una expresión de amor; en cambio, cuando la economía familiar es limitada, un dólar de regalo podría ser señal de un amor tan grande como un millón de dólares.

Los regalos se pueden comprar, hallar o hacer. El esposo que se detiene junto a la carretera y recoge una flor silvestre para su esposa, ha encontrado una expresión de amor que darle, a menos, por supuesto, que su esposa sea alérgica a las flores silvestres. El hombre que tiene con qué hacerlo, puede comprar una hermosa tarjeta por menos de cinco dólares. El que no pueda, siempre podrá hacer una gratis. En su trabajo, saque papel de la papelera, dóblelo al medio, tome unas tijeras, recorte un corazón, escriba en él «Te amo» y fírmelo. Los regalos no tienen por qué ser costosos.

Ahora bien, qué pasa con la persona que dice: «Yo no acostumbro hacer regalos. No recibí muchos cuando era niño. Nunca he aprendido a escogerlos. No me nace». Felicidades: usted acaba de hacer el primer descubrimiento en el camino para convertirse en una persona realmente amorosa. Usted y su cónyuge hablan diferentes lenguajes de amor. Ahora que ha hecho ese descubrimiento, dedíquese a aprender su segundo lenguaje. Si el lenguaje primario de amor de su cónyuge es el de recibir regalos, usted se puede hacer un experto en regalar. Es más, este es uno de los lenguajes de amor más fáciles de aprender.

¿Dónde comenzar? Haga una lista con todos los regalos que su cónyuge ha recibido con entusiasmo a lo largo de los años. Tal vez sean regalos suyos, o bien de otros parientes o amigos. Esta lista le va a dar una idea de la clase de regalos que le gustaría recibir a su cónyuge. Si sabe poco o nada acerca de cómo escoger las clases de regalos que aparecen en la lista, pídales ayuda a parientes suyos que conozcan bien a su cónyuge.

Mientras tanto, escoja regalos que lo hagan sentirse cómodo mientras los compra, fabrica o busca, y déselos a su cónyuge. No espere a que llegue una ocasión especial. Si recibir regalos es su lenguaje primario de amor, casi todo lo que usted le dé, lo va a recibir como una expresión de amor. (Si ha criticado sus regalos en el pasado, y casi nada de lo que usted le ha dado le ha parecido aceptable, es casi seguro que recibir regalos no sea su lenguaje primario en el amor).

Los regalos y el dinero

Para aprender a regalar con eficacia, es posible que tenga que cambiar su actitud con respecto al dinero. Cada uno de nosotros tiene su propia percepción sobre la razón de ser del dinero, y nuestras emociones asociadas con el hecho de gastarlo varían. Hay quienes están orientados al gasto. Se sienten bien cuando están gastando dinero. Otros tienen una perspectiva de ahorro e inversiones. Se sienten bien cuando están ahorrando el dinero e invirtiéndolo con sabiduría.

Si usted es gastador, no le va a ser difícil comprarle regalos a su esposa, pero si es ahorrador, va a experimentar una resistencia emocional a la idea de gastar dinero como expresión de amor. Usted no compra cosas para sí mismo; ¿por qué las habría de comprar para su esposa? Sin embargo, esa actitud no sabe reconocer que en realidad, usted sí está comprando cosas para sí mismo. Al ahorrar e invertir el dinero, está comprando dignidad personal y seguridad emocional. Está atendiendo a sus propias necesidades emocionales con su manera de manejar el dinero. Lo que no está haciendo es satisfacer las necesidades emocionales de su esposa. Si descubre que el lenguaje primario de su esposa en el amor es el de recibir regalos, entonces tal vez comprenda que comprarle regalos es la mejor inversión que puede hacer. Estará invirtiendo en su relación, y llenando el tanque de amor de su amada, y con el tanque lleno, ella le va a devolver amor emocional, y en un lenguaje que usted va a comprender. Cuando son satisfechas las necesidades emocionales de ambas personas, su matrimonio toma una dimensión totalmente nueva. No se preocupe por sus ahorros. Usted siempre va a ser ahorrador, pero invertir en el amor a su esposa es hacer una inversión segura en la bolsa de valores.

El don de sí mismo

Hay un regalo intangible que algunas veces habla más alto que los dones que podemos llevar en la mano. Yo lo llamo el don de sí mismo, o el don de presencia. Estar presente cuando su cónyuge lo necesita, es algo que le habla muy alto a aquella persona cuyo lenguaje primario en el amor es el de recibir regalos. En una ocasión, una señora llamada Jan me dijo:

—Mi esposo Daniel tiene más amor por el softball que por mí».

—¿Por qué dice usted eso? —le pregunté.

—El día que nació nuestro hijo, él estaba jugando softball. Yo me pasé toda la tarde en una cama del hospital, mientras él jugaba al softball —me respondió.

—¿Estaba presente cuando nació el niño?

—Sí, claro. Estuvo el tiempo suficiente para que naciera el niño, pero diez minutos después se fue para seguir jugando softball. Yo me sentía destrozada. Aquel era un momento de gran importancia en nuestra vida. Yo quería que lo compartiéramos. Quería que él estuviera allí, conmigo. Pero Daniel me dejó abandonada para irse a jugar.

Tal vez ese esposo le enviaría a su esposa una docena de rosas, pero esas rosas nunca habrían hablado tan alto, como su presencia en el cuarto del hospital junto a ella. Me pude dar cuenta de que Jan se había quedado profundamente herida después de aquella experiencia. El «niño» tenía ya quince años, y ella estaba hablando de lo sucedido con la misma emoción que si hubiera tenido lugar ayer mismo. Seguí indagando:

—Esa conclusión de que Daniel ama más al softball que a usted, ¿la ha basado solo en esa experiencia?

—No, qué va —me dijo—. El día del funeral de mi madre, también jugó softball.

—¿Estuvo en el funeral?

—Sí, por supuesto. Fue al funeral, pero tan pronto como se terminó, se marchó para seguir jugando softball. Yo no lo podía creer. Mis hermanos y hermanas vinieron a casa conmigo, pero mi esposo estaba jugando softball.

Más tarde, le pregunté a Daniel acerca de aquellos dos sucesos. Él sabía exactamente de lo que yo le estaba hablando.

—Sabía que ella iba a sacar eso —me dijo—. Yo estuve presente durante todo el tiempo previo al parto, y cuando nació el niño. Tomé fotos; estaba muy feliz. Tenía que decírselo enseguida a mis amigos del equipo, pero se me vino todo al suelo cuando volví al hospital aquella noche. Ella estaba furiosa conmigo. No podía creer lo que me estaba diciendo. Yo pensaba que se iba a sentir satisfecha de que se lo contara a mis amigos del equipo.

»¿Y cuando murió su madre? Tal vez ella no le dijo que yo dejé el trabajo una semana antes que muriera y me pasé toda la semana en el hospital y en la casa de ella, haciendo reparaciones y ayudando. Después que murió y terminó el funeral, me pareció que había hecho todo lo que podía. Necesitaba respirar. Me gusta jugar softball, y sabía que eso me ayudaría a relajarme y aliviaría en parte el estrés al que había estado sometido. Pensaba que ella quería que yo descansara un poco.

»Yo había hecho lo que me parecía que era importante para ella, pero no fue suficiente. Nunca ha permitido que me olvide de esos dos días. Dice que amo más al softball que a ella. Es ridículo.

Se trataba de un esposo sincero que no había comprendido el gran poder que tiene la presencia física. El hecho de estar allí, acompañando a su esposa, era más importante para ella que ninguna otra cosa. La presencia física en los momentos de crisis es el regalo más poderoso que le podemos dar a nuestro cónyuge, si su lenguaje primario en el amor es el de recibir regalos. Nuestro cuerpo se convierte en el símbolo de nuestro amor. Quite ese símbolo, y la sensación de amor se evapora. Por medio de la consejería, Don y Jan fueron resolviendo sus heridas y malentendidos del pasado. Al final, Jan pudo perdonar, y Don llegó a comprender por qué su presencia era tan importante para ella.

Si la presencia física de su cónyuge es importante para usted, lo animo a que se lo comunique con palabras. No espere que le lea la mente. En cambio, si su cónyuge le dice: «Lo que quiero de veras es que estés allí conmigo esta noche, mañana, esta tarde», tómese en serio su petición. Desde la perspectiva de usted, tal vez no tenga importancia, pero si usted no reacciona de manera positiva ante esa petición, podría estar comunicando un mensaje que no era su intención comunicar. En una ocasión, un esposo dijo: «Cuando falleció mi madre, el supervisor de mi esposa le dijo que podía salir del trabajo dos horas para asistir al funeral, pero que necesitaba estar de vuelta en la oficina después del mediodía. Mi esposa le dijo que a ella le parecía que su esposo necesitaba su apoyo aquel día y que pensaba que debía tomarse todo el día».

»El supervisor le contestó: "Si se ausenta todo el día, podría perder su trabajo".

»Entonces mi esposa le dijo: "Mi esposo es más importante que mi trabajo". Y se pasó todo el día conmigo. Aquel día, yo me sentí más amado por ella que nunca antes. Nunca he olvidado lo que hizo. Dicho sea de paso», me dijo, «no perdió el trabajo. Poco después se marchó su supervisor, y le pidieron que ocupara su puesto». Aquella esposa había hablado el lenguaje de amor de su esposo, y él nunca lo olvidó.

Casi todo cuanto se ha escrito sobre el tema del amor indica que en el centro mismo del amor se halla un espíritu generoso. Los cinco lenguajes del amor nos retan todos a darle algo a nuestro cónyuge, pero para algunos lo que más alto habla es recibir regalos, símbolos visibles de ese amor. La ilustración más gráfica de esa verdad la escuché en Chicago, donde conocí a Jim y Janice.

Ellos asistieron a mi seminario para matrimonios y aceptaron llevarme al aeropuerto O'Hare el sábado por la tarde, después de terminado el seminario. Teníamos dos o tres horas antes de mi vuelo, y me preguntaron si me gustaría pasar por un restaurante. Yo estaba muerto de hambre, así que acepté enseguida. Sin embargo, aquella tarde recibí mucho más que una comida gratis.

Jim y Janice crecieron ambos en granjas del centro de Illinois, a menos de ciento cincuenta kilómetros el uno del otro. Se trasladaron a Chicago poco después de su boda. Yo estaba escuchando su historia, quince años y tres hijos más tarde. Janice comenzó a hablar casi en cuanto nos sentamos a la mesa. Me dijo: «Doctor Chapman, la razón por la que queríamos llevarlo al aeropuerto, es porque le queríamos hablar de nuestro milagro». En la palabra «milagro» siempre hay algo que me hace ponerme en guardia, sobre todo si no conozco a la persona que la usa. *¿Qué cuento raro me irán a hacer?*, me pregunté, pero me reservé mis pensamientos y concentré mi atención en lo que me decía Janice. Estaba a punto de recibir una gran sorpresa.

Ella me dijo:

—Doctor Chapman, Dios lo usó a usted para realizar un milagro en nuestro matrimonio.

Me sentí culpable de inmediato. Hacía un instante, me estaba preguntando por qué usaría la palabra *milagro*, y ahora, según ella, yo había sido el vehículo para ese milagro. Por supuesto, ahora la escuchaba con mayor atención aun.

Janice siguió hablando:

—Hace tres años, por vez primera asistimos a su seminario para matrimonios aquí en Chicago. Yo estaba desesperada —me dijo—. Estaba pensando seriamente en dejar a Jim, y ya se lo había dicho. Nuestro matrimonio había estado vacío por mucho tiempo. Me había dado por vencida. Durante años, me le había quejado a Jim de que necesitaba su amor, pero él nunca reaccionaba. Yo amaba a nuestros hijos, y sabía que ellos me amaban a mí, pero no sentía nada de parte de Jim. En realidad, ya en aquellos momentos había llegado a odiarlo. Era una persona metódica. Todo lo hacía por rutina. Era tan previsible como un reloj, y no había manera de romperle su rutina.

»Durante años —siguió diciendo—, traté de ser una buena esposa. Cocinaba, lavaba, planchaba, volvía a cocinar, a lavar y a planchar. Hacía todas las cosas que pensaba que debe hacer una buena esposa. Tenía relaciones sexuales con él, porque sabía que aquello era importante para él, pero no sentía que me estuviera dando amor alguno. Era como si hubiera dejado de enamorarme después que nos casamos y, sencillamente, me daba por segura. Sentía que me usaba sin darme valor alguno.

»Cuando le hablaba a Jim de mis sentimientos, él se reía de mí y me decía que teníamos un matrimonio como el mejor que hubiera en la comunidad. No comprendía por qué me sentía tan desdichada. Me recordaba que nuestras cuentas estaban pagadas, que teníamos una buena casa y un auto nuevo, que yo estaba en libertad de trabajar o no fuera de la casa, y que en lugar de quejarme todo el tiempo, me debería sentir feliz. Ni siquiera trataba de comprender mis sentimientos. Me sentía rechazada por completo.

»Bueno, como fuera —me dijo mientras echaba a un lado su té y se inclinaba hacia delante—, asistimos a su seminario hace tres años. Nunca antes habíamos estado en un seminario para matrimonios. Yo no sabía qué esperar, y francamente, no esperaba mucho. No creía que hubiera nadie capaz de cambiar a Jim. Durante el seminario y después de él, Jim no dijo gran cosa. Me daba la impresión de que le había gustado. Me dijo que usted era una persona divertida, pero no me habló acerca de ninguna de las ideas presentadas en el seminario. Yo no esperaba que lo hiciera, y no se lo había pedido tampoco. Como le dije, ya me había dado por vencida con él.

»Como usted sabe —me dijo—, el seminario terminó un sábado por la tarde. La noche del sábado y el domingo transcurrieron más o menos como de costumbre, pero el lunes por la tarde, él volvió del trabajo y me dio una rosa. "¿Dónde conseguiste eso?", le pregunté. "Se la compré a un vendedor ambulante", me respondió. "Pensé que tú te merecías una rosa". Yo me eché a llorar. "Jim, qué delicadeza de tu parte".

»En mi mente —me dijo—, yo sabía que le había comprado la rosa a uno de la secta de los moonies. Había visto a aquel joven vendiendo rosas por la tarde, pero no importaba. Lo que importaba era que él me había traído una rosa. El martes, me llamó desde la oficina a eso de la una y media y me preguntó qué me parecía si él compraba una pizza y la traía a casa para la cena. Me dijo que le parecía que a mí me gustaría no tener que cocinar la cena. Yo le dije que la idea me parecía maravillosa, así que trajo pizza a casa y pasamos juntos un tiempo divertido. A nuestros hijos les encanta la pizza, y le dieron las gracias a su padre por comprarla. Yo hasta le di un abrazo y le dije lo mucho que estaba disfrutando de aquello.

»Cuando llegó a casa el miércoles, les trajo a nuestros hijos una caja de Cracker Jacks para cada uno, y a mí me trajo una planta en su tiesto. Me dijo que sabía que la rosa se iba a marchitar, y pensó que a mí me gustaría algo que durara más tiempo. Yo estaba comenzando a pensar que era víctima de alucinaciones. No podía creer lo que estaba haciendo Jim, ni la razón por la cual lo estaba haciendo. El jueves por la noche, después de la cena, me entregó una tarjeta con un mensaje en el que hablaba de que él no siempre era capaz de expresarme su amor, pero tenía la esperanza de que la tarjeta me comunicara lo mucho que me quería. Lloré otra vez, levanté la vista hacia él, y no pude resistir el impulso de abrazarlo y besarlo. "¿Por qué no conseguimos quien cuide a los niños el sábado por la noche y salimos los dos a cenar?", me sugirió. "Eso sería maravilloso", le respondí. El viernes por la tarde, pasó por la pastelería y le compró a cada cual sus galletas dulces favoritas. De nuevo se lo guardó como sorpresa, y solo nos dijo que nos tenía algo especial para los postres.

»Al llegar el sábado por la noche —me dijo—, yo ya estaba en órbita. No tenía ni idea de lo que le había pasado a Jim, ni sabía si iba a durar, pero lo estaba disfrutando minuto a minuto. Después que cenamos en el restaurante, le dije: "Jim, me tienes que decir qué está pasando. No entiendo"».

Me miró fijamente y me dijo:

—Doctor Chapman, comprenda. Este hombre nunca me había dado una flor desde el día de nuestra boda. Nunca me había dado una tarjeta en ninguna ocasión. Siempre decía: "Eso es desperdiciar el dinero; ves la tarjeta y la tiras a la basura". Habíamos salido a cenar una vez en cinco años. Él nunca les compraba nada especial a sus hijos, y esperaba de mí que solo les comprara lo esencial. Nunca había comprado una pizza para cenar en casa. Esperaba de mí que tuviera la cena preparada todas las noches. Es decir, que se trataba de un cambio de conducta radical.

Yo me volví a Jim y le pregunté:

—¿Qué le dijo en el restaurante cuando ella le preguntó qué estaba pasando?

—Le dije que había escuchado en el seminario su conferencia sobre los lenguajes del amor y me había dado cuenta de que su lenguaje en el amor era el de los regalos. También me había dado cuenta de que no le había hecho un solo regalo en años; tal vez desde que nos casamos. Recuerdo que cuando éramos novios, yo le solía llevar flores y regalos pequeños, pero después del matrimonio me imaginé que no nos lo podríamos permitir. Le dije que había decidido que iba a tratar de conseguirle un regalo todos los días durante toda una semana, para ver si eso cambiaba las cosas en ella. Tuve que admitir que había notado una inmensa diferencia en su actitud durante la semana.

»Le dije que me daba cuenta de que era cierto lo que usted había dicho, y que aprender el lenguaje correcto en el amor era la clave para ayudar a la otra persona a sentirse amada. Le dije que sentía haber sido tan cargante durante todos aquellos años y no haber satisfecho su necesidad de sentir amor. Le dije que la amaba de veras y que agradecía todas las cosas que hacía por mí y por nuestros hijos. Le dije que, con la ayuda de Dios, le iba a estar dando regalos durante el resto de mi vida.

»Ella me dijo: "Pero Jim, no me puedes seguir comprando regalos todos los días durante el resto de la vida. No te lo puedes permitir". "Bueno, tal vez no lo haga todos los días", le contesté, "pero al menos una vez por semana. Eso significaría cincuenta y dos regalos más por año, que los que has recibido en los últimos cinco años", y le dije después: "Además, ¿quién te dijo que los iba a comprar todos? Hasta tal vez me fabrique algunos, o siga la idea del doctor Chapman y recoja una flor gratis en el patio delantero cuando venga la primavera"».

Janice lo interrumpió para decirme:

—Doctor Chapman, no creo que haya dejado de hacerlo una sola semana en estos tres años. Es un hombre nuevo. No se puede imaginar lo felices que hemos sido. Nuestros hijos nos llaman ahora "los tortolitos". Mi tanque está lleno hasta desbordarse.

Yo me volví a Jim para preguntarle:

—Y usted, ¿qué me dice, Jim? ¿Se siente amado por Janice?

—Yo siempre me he sentido amado por ella, doctor Chapman. Es la mejor ama de casa del mundo. Es una cocinera maravillosa. Siempre me tiene la ropa lavada y planchada. Es maravillosa en cuanto a hacer cosas para nuestros hijos. Yo sé que me ama —sonrió y me dijo—: Ahora usted sabe cuál es mi lenguaje en el amor, ¿no es cierto?

Sí que lo sabía, y también sabía ahora por qué Janice había usado la palabra *milagro*.

Los regalos no tienen por qué ser caros, ni hay que hacer regalos todas las semanas. Pero para algunas personas, el valor del regalo no tiene nada que ver con su precio en dinero, sino que tiene que ver solo con el amor.

En el capítulo 7 vamos a aclarar cuál era el lenguaje de Jim en el amor.

Si el lenguaje de amor de su esposa es *recibir regalos...*

Cuando se trata de dar regalos, muchos hombres necesitan que los empujen un poco para actuar. Así que aquí tiene unas cuantas sugerencias adicionales.

- Mucha gente tiene la costumbre de los doce días antes de la Navidad. ¿Qué le parecerían doce días de regalos para el cumpleaños, el aniversario u otra ocasión especial?
- Las fotos son regalos poco costosos que se van apreciando más a medida que pasa el tiempo. Son más especiales aún si usted las va guardando durante un tiempo y después se las regala a su esposa como registro fotográfico del crecimiento de uno de sus hijos, la vida de un animal doméstico, las estaciones de su jardín o algo semejante.
- Piense en algunos buenos regalos «para ahora y para después». Un depósito de semillas para las aves del patio, un conjunto de instrumentos para tejer, o unas semillas para hacer un huerto pueden seguir dando recompensas durante largo tiempo.
- Dele el «regalo del día». Algunas veces, cuando sepa que ella está libre, tómese el día y deje que ella sea la que decida lo que quiere hacer. (O dele el día para que no tenga que trabajar).
- Piense en los accesorios con los cuales podría sorprender a su esposa, y que serían complemento de los regalos que ella «espera». Por ejemplo, si usted le suele llevar figuras de porcelana para su colección, un día le podría regalar una hermosa repisa para exhibirlas. Si ella colecciona plumas finas, también le podría regalar papel de alta calidad.
- Manténgase alerta en busca de oportunidades para hacerle regalos espontáneos e inesperados: vendedores callejeros de flores, ventas de frutas o de artesanía junto a la carretera, su heladería favorita en un día caluroso. Conviértalo en algo que ella va a agradecer. Si le

encantan las tiendas de regalos o las de artículos para el hogar, déjela que se dedique a verlo todo, sin refunfuñar ni ponerse inquieto.

- Si ella tiene algún programa favorito de juegos o de realidad, piense en las formas de proporcionarle una versión personalizada, solo para ella. Por ejemplo, si le gusta *The Price is Right* [«El precio correcto», programa donde el concursante adivina el precio del artículo, n. del t.], cree retos parecidos, solo para ella, y deje que gane los premios que le ofrece. O bien, asígnele un presupuesto y la ayuda de algún amigo, y deje que diseñe de nuevo uno de los cuartos de su casa, al estilo de los programas de televisión donde se hacen estas cosas.
- Si usted tiene tendencias artísticas, cree un dibujo de ella al carbón, a la acuarela, al óleo, en arcilla, o en algún otro medio único.
- Cuando se acerque un suceso importante en la vida de ella (cumpleaños especial, aniversario), avíseles a muchas de sus viejas amigas con las cuales ella lleve mucho tiempo sin hacer contacto. Pídales regalos sencillos (poemas, marcadores de libros, oraciones) que vayan llegando en grandes cantidades a medida que se acerque el gran día.
- Inscriba una estrella con el nombre de ella.
- Compre acciones en una compañía que apoye su esposa, y deje que ella siga las subidas y bajadas financieras de esas acciones durante cierto tiempo.
- Dele cupones hechos a mano por usted para los servicios que ella le suele pedir que realice (lavar el auto, hacer ciertos recados concretos, frotarle la espalda).
- Cuando el dinero esté escaso, piense en unos regalos simbólicos que sean adecuados. Por ejemplo, en lugar de billetes de avión, la podría llevar en un «vuelo de fantasía» para soñar lo que estarían haciendo juntos si tuvieran dinero para hacerlo. O bien, busque los videos de vacaciones pasadas para volver a vivir juntos esos momentos especiales sin salir de la comodidad de su hogar.

- Al hacer planes para sus próximas vacaciones, aparte un fondo secreto para unos regalos mejores que de costumbre que su esposa tal vez querría conseguir.
- Ofrézcale el «regalo de su presencia» durante unos momentos especialmente duros de su vida (al visitar a una amiga muy enferma, al cuidar de uno de sus padres en la ancianidad, al enfrentarse a una crisis de trabajo).
- Dele una canción. Escríbala usted mismo y cántesela, o escoja una que le parece que a ella le gustaría, y regálele el CD.
- Cuando su esposa salga en viaje de negocios, para un retiro de la iglesia o lo que sea, escóndale un regalo entre el equipaje. O bien, haga los arreglos para que le entreguen algo.
- Aumente la expectación de un gran regalo dándole unas pistas poco precisas sobre lo que es, como las piezas de un rompecabezas que le vaya dando de vez en cuando y que al final formen la imagen de ese regalo, o algún otro método creativo.
- A la mayoría de los hombres hace falta recordarles que casi siempre las joyas constituyen una buena opción como regalo.

Palabras de afirmación

Regalos

Tiempo de calidad

Actos de servicio

Toque físico

Lenguaje #4 del amor:

Actos de servicio

Antes de dejar a Jim y Janice, examinemos de nuevo la respuesta de Jim cuando le pregunté: «¿Se siente amado por Janice?». «Yo siempre me he sentido amado por ella, doctor Chapman. Es la mejor ama de casa del mundo. Es una cocinera maravillosa. Siempre me tiene la ropa lavada y planchada. Es maravillosa en cuanto a hacer cosas para nuestros hijos. Yo sé que me ama».

El lenguaje primario de Jim en el amor era el que yo llamo el lenguaje de los «actos de servicio». Al hablar de actos de servicio, me refiero a hacer cosas que sabe que su esposa querría que usted hiciera. Trata de agradarla sirviéndola; trata de expresarle su amor haciendo cosas por ella.

Son actos como los de cocinar una comida, poner la mesa, lavar los platos, pasar la aspiradora, limpiar un inodoro, sacar pelos del lavabo, quitar las manchas blancas del espejo, sacar los insectos pegados al parabrisas, sacar la basura, cambiarle los pañales al bebé, pintar un cuarto, quitarle el polvo al librero, mantener el auto en buenas condiciones de operación, lavar el auto o darle aspiradora, limpiar el garaje, cortar el césped, recortar los arbustos del patio, rastrillar las hojas secas, quitarles el polvo a las persianas, sacar el perro, cambiarle la caja de desperdicios al gato y cambiarle el agua a la pecera. Todas esas cosas son actos de servicio. Exigen que las pensemos, planifiquemos y les dediquemos tiempo, esfuerzo y energía. Si las hacemos con un espíritu positivo, se convierten ciertamente en expresiones de amor.

Jesús hizo una ilustración sencilla pero profunda de lo que es expresar el amor por medio de un acto de servicio cuando les lavó los pies a sus discípulos. En una cultura donde la gente usaba sandalias y caminaba por calles de tierra, se acostumbraba que el criado de la casa les lavara los pies a los huéspedes cuando llegaban. Jesús, que les había indicado a sus discípulos que se amaran unos a otros, les dio un ejemplo sobre la forma de expresarse el amor cuando tomó una jofaina y una toalla, y se dedicó a lavarles los pies[1]. Después de esa sencilla expresión de amor, exhortó a sus discípulos a seguir su ejemplo.

Anteriormente, ya había indicado que en su Reino, los que querían ser grandes debían ser siervos. En la mayoría de las sociedades, los grandes se enseñorean sobre los pequeños, pero Jesucristo dijo que aquellos que son grandes, sirven a los demás. El apóstol Pablo resumió esa manera de pensar al decir: «Servíos por amor los unos a los otros»[2].

Vine a descubrir el impacto que tienen los «actos de servicio» en el pequeño poblado de China Grove, en Carolina del Norte. China Grove se encuentra en el centro del estado y originalmente estaba rodeado de árboles de jaboncillos. No se encuentra muy lejos del legendario Mayberry de Andy Griffith, y está a hora y media de distancia del monte Pilot. En el momento que se produjo esta historia, China Grove era una población con industria textil y mil quinientos habitantes. Yo no había estado allí en más de diez años, mientras estudiaba antropología, psicología y teología. Estaba haciendo mi visita semestral para mantenerme en contacto con mis raíces.

Casi todas las personas de allí que conocía, con excepción del doctor Shin y el doctor Smith, trabajaban en la fábrica. El doctor Shin era el médico y el doctor Smith el dentista. Además, por supuesto, estaba el predicador Blackburn, que pastoreaba la iglesia. La vida de la mayoría de los matrimonios de China Grove se centraba en el trabajo y la iglesia. La conversación en la fábrica se refería a la última decisión del superintendente y la forma en que afectaría a su trabajo en particular. Los cultos de la iglesia se centraban mayormente en los gozos celestiales que todos esperaban. En ese escenario tan originalmente norteamericano, descubrí el cuarto lenguaje del amor.

Estaba sentado bajo un árbol de jaboncillo después del culto del domingo, cuando Mark y Mary se me acercaron. No reconocí a ninguno de los dos. Supuse que se habían hecho adultos mientras yo estaba fuera. Mark se presentó a sí mismo y me dijo:

—Tengo entendido que usted ha estado estudiando consejería.

Yo sonreí y le dije:

—Bueno, sí, algo.

—Le tengo una pregunta —me dijo—. ¿Puede triunfar una pareja en su matrimonio si no están de acuerdo en nada?

Era una de esas preguntas teóricas que yo sabía que tenían unas raíces personales. Eché a un lado la naturaleza teórica de su pregunta y le hice a mi vez una pregunta personal.

—¿Qué tiempo llevan ustedes de casados?

—Dos años —me respondió—. Y no estamos de acuerdo en nada.

—Deme algunos ejemplos —le dije.

—Bueno, por ejemplo, a Mary no le agrada que yo salga a cazar. Trabajo toda la semana en la fábrica y me gusta salir a casar los sábados. No todos los sábados, sino solo cuando está abierta la caza.

Mary había estado callada hasta ese momento, cuando intervino para decir:

—Y cuando se termina la temporada de caza, se va a pescar, y además de eso, no caza los sábados solamente, sino que se va del trabajo para ir a cazar.

—Una o dos veces al año me tomo dos o tres días de permiso para ir de caza por las montañas con algunos amigos. No me parece que eso tenga nada de malo.

—¿En qué más no están de acuerdo? —les pregunté.

—Bueno, ella quiere que yo vaya a la iglesia todo el tiempo. No me molesta ir los domingos por la mañana, pero por la tarde me gusta descansar. Si ella quiere ir, que vaya, pero no me parece que yo tenga obligación de ir.

Una vez más, Mary interrumpió.

—En realidad, tampoco quieres que vaya yo —le dijo—. Refunfuñas cada vez que salgo por la puerta.

Yo sabía que las cosas no se debían poner tan al rojo vivo bajo un árbol de sombra y frente a una iglesia. Solo era un joven aspirante a consejero, y temía que me estuviera metiendo en aguas demasiado hondas, pero como me habían enseñado a hacer preguntas y escuchar, seguí:

—¿En qué otras cosas no están de acuerdo?»

Esta vez fue Mary la que me contestó.

—Él quiere que me quede en casa todo el día, y trabaje allí —me dijo—. Se enoja si voy a ver a mi madre, o salgo de compras, o alguna otra cosa.

—No me importa que vaya a ver a su madre —dijo él—, pero cuando vuelvo a casa, me gusta verla limpia. Hay semanas en que no arregla la cama durante tres o cuatro días, y la mitad del tiempo, ni siquiera ha comenzado a preparar la cena. Yo trabajo duro, y me gusta comer cuando llego a casa. Además, la casa es un desastre —siguió diciendo—. Las cosas del bebé andan regadas por todo el suelo, el bebé está sucio, y a mí no me gusta la suciedad. Al parecer, a ella le agrada vivir en un corral de cerdos. No tenemos mucho, y vivimos en una casita pequeña de la fábrica, pero al menos, podría estar limpia.

—¿Qué tiene de malo que él me ayude con los deberes de la casa? —preguntó Mary—. Actúa como si un esposo no debería hacer nada en la casa. Todo lo que quiere hacer es trabajar y cazar. Espera de mí que lo haga todo. Hasta espera que sea yo quien lave el auto.

Pensando que era mejor que comenzara a buscar soluciones, en lugar de seguir hallando más desacuerdos, miré a Mark y le pregunté:

—Mark, cuando ustedes eran novios, antes de casarse, ibas de caza todos los sábados?

—La mayoría —me dijo—, pero siempre volvía a casa a tiempo para irla a ver a ella el sábado por la noche. Casi siempre llegaba a casa con tiempo para lavar mi camión antes de ir a verla. No me gustaba irla a ver con el camión sucio.

—Mary, ¿qué edad tenía usted cuando se casó? —le pregunté.

—Tenía dieciocho años —me dijo—. Nos casamos en cuanto yo terminé la escuela secundaria. Mark se graduó un año antes, y estaba trabajando.

—Durante el último año de secundaria, ¿con cuánta frecuencia iba Mark a verla? —le pregunté.

—Iba casi todas las noches —me dijo. Llegaba por la tarde y muchas veces se quedaba para cenar con mi familia. Me ayudaba a hacer mis labores de la casa, y después nos sentábamos a hablar hasta la hora de la cena.

—Mark, ¿qué hacían ustedes dos después de la cena? —le pregunté a él.

Mark me miró con una avergonzada sonrisa y me dijo:

—Bueno, ya sabe. Lo que hacen todos los novios.

—Pero si yo tenía alguna tarea de la escuela —dijo Mary—, él me ayudaba con ella. Algunas veces, trabajábamos durante horas en los proyectos escolares. Yo estaba encargada de la carroza de Navidad de mi clase. Él me estuvo ayudando todas las tardes durante tres semanas. Fue maravilloso.

Yo cambié de velocidad y me centré en el tercer aspecto de su desacuerdo.

—Mark, cuando ustedes eran novios, ¿iba con Mary a la iglesia los domingos por la tarde?

—Sí —me respondió—. Si no iba con ella a la iglesia, no la podía ver esa noche. Su padre era estricto en eso.

—Él nunca se quejaba de eso —me dijo Mary—. Es más, parecía disfrutarlo. Hasta nos ayudó con el programa de Navidad. Después que terminamos el proyecto de la carroza navideña, comenzamos a trabajar en el escenario para el programa de Navidad de la iglesia. Nos pasamos como dos semanas trabajando juntos en él. Tiene gran talento cuando se trata de pintar y construir escenarios.

Me pareció que estaba comenzando a ver un poco de luz, pero no estaba seguro de que Mark y Mary la estuvieran viendo también. Me volví a Mary y le pregunté:

—Cuando usted y Mark eran novios, ¿qué la convenció de que él la amaba de verdad? ¿Qué hacía que él fuera distinto a los otros jóvenes con los que usted había salido?.

—La forma en que me ayudaba con todo —me dijo—. Estaba ansioso por ayudarme. Ninguno de los otros expresó jamás interés alguno por aquellas cosas, pero para Mark parecía ser algo natural. Hasta me ayudaba a lavar la vajilla cuando cenaba en nuestra casa. Era la persona más maravillosa que había conocido, pero después que nos casamos, aquello cambió. Dejó de ayudarme por completo.

Me volví a Mark y le pregunté:

—¿Por qué cree que hacía todas esas cosas por ella y con ella antes de casarse?

—Me parecía natural hacerlas —dijo—. Es lo que yo habría deseado que hiciera por mí una persona que me quisiera.

—Y ¿por qué le parece que dejó de ayudarla después de casarse? —le pregunté.

—Bueno, supongo que yo esperaba que aquello se pareciera a mi propia familia. Mi padre trabajaba y mi madre se ocupaba de las cosas de la casa. Nunca vi a mi padre limpiando el piso con aspiradora, lavando los platos o haciendo algo en la casa. Puesto que mi madre no trabajaba fuera de la casa, lo que sí hacía es mantenerlo todo impecable y hacer todo lo que fuera cocinar, lavar y planchar. Y me imagino que yo pensaba que así era como debían ser las cosas.

Con la esperanza de que él viera lo mismo que yo estaba viendo, le pregunté:

—Mark, hace un instante, ¿qué oyó decir a Mary cuando le pregunté qué era lo que la hacía sentirse amada por usted cuando eran novios?

Él me respondió:

—Que la ayudaba con las cosas y hacía cosas por ella.

—Entonces, ¿comprende cómo se sintió rechazada cuando usted dejó de ayudarla con las cosas? —le dije. Asintió con la cabeza. Seguí—. Es normal que usted haya seguido el modelo que vio en el matrimonio de sus padres. Casi todos tendemos a hacerlo. Sin embargo, su conducta con Mary significó un cambio radical con respecto a la que tenía durante el noviazgo. Aquella única cosa que le daba a ella la seguridad de que usted la amaba, desapareció.

Entonces le pregunté a Mary:

—¿Qué oyó decir usted a Mark cuando le pregunté por qué había hecho todas esas cosas para ayudarla mientras eran novios?

—Él dijo que le había parecido natural hacerlas —contestó.

—Correcto —le dije—. Y también dijo que era lo que él habría deseado que hiciera por él la persona que lo quisiera. Él estaba haciendo todas esas cosas por usted y con usted, porque en su mente, así es como se demuestra el amor. Una vez casados y viviendo en su propia casa, él tenía expectativas sobre lo que usted iba a hacer si realmente lo amaba. Iba a mantener limpia la casa, cocinar y demás. En pocas palabras, le expresaría su amor haciendo cosas por él. Cuando no la vio hacer esas cosas, ¿comprende por qué sintió que usted no lo amaba? —ahora fue Mary la que asintió con la cabeza. Continué hablando—: Pienso que la razón por la cual ambos se sienten tan desdichados en su matrimonio es que ninguno de los dos está demostrando su amor a base de hacer cosas por el otro.

Mary me dijo:

—Creo que tiene razón. Yo dejé de hacer cosas por él porque me incomodaban sus exigencias. Era como si estuviera tratando de hacerme igual a su madre.

—Así es —le dije—, y a nadie le gusta que lo obliguen a hacer nada. Es más, el amor es algo que siempre se da de manera gratuita. No se puede exigir. Nos podemos pedir cosas el uno al otro, pero nunca nos debemos exigir nada. Las peticiones guían al amor, pero las exigencias detienen su fluir.

Mark interrumpió para decir:

—Ella tiene razón, doctor Chapman. Yo era exigente y crítico con ella, porque sentía que me había desilusionado como esposa. Sé que dije cosas crueles, y comprendo que estuviera enojada conmigo.

—Me parece que las cosas pueden cambiar bastante fácil en esta coyuntura —les dije. Saqué de mi bolsillo dos tarjetas de notas—. Vamos a probar algo. Quiero que los dos se sienten en la escalinata de la iglesia y cada uno haga una lista de peticiones. Mark, quiero que escriba tres o cuatro cosas que, si Mary se decidiera a hacerlas, usted se sentiría amado al llegar a casa por la tarde. Si es importante para usted que la cama esté hecha, escríbalo. Mary, quiero que ponga en la lista tres o cuatro cosas en las cuales le gustaría realmente contar con la ayuda de Mark y que, si él se decidiera a hacerlas, la ayudarían a saber que él la ama.

(Me encantan las listas, porque lo obligan a uno a pensar de manera concreta).

Después de cinco o seis minutos, me entregaron sus listas. La lista de Mark decía:

- Hacer las camas todos los días.
- Tenerle la cara limpia al bebé cuando yo llego a casa.
- Poner sus zapatos en el armario antes que yo llegue.
- Tratar de haber empezado por lo menos a hacer la cena antes de llegar yo a la casa, de manera que podamos comer entre media hora y tres cuartos de hora después que llegue.

Leí la lista en voz alta y le dije a Mark:

—Entiendo que está diciendo que si Mary se decide a hacer estas cuatro cosas, las va a considerar como actos de amor hacia usted.

—Correcto —me dijo—. Si ella hace esas cuatro cosas, estoy dispuesto a hacer un gran esfuerzo para cambiar mis actitudes hacia ella.

Entonces leí la lista de Mary:

- Quisiera que él lavara el auto todas las semanas, en lugar de esperar que sea yo la que lo haga.

- Quisiera que él le cambiara los pañales al bebé después de llegar a casa por la tarde, sobre todo si yo estoy preparando la cena.
- Quisiera que él le pasara la aspiradora a la casa por mí una vez a la semana.
- Quisiera que cortara el césped cada semana en el verano, y no dejara que creciera tanto, que me tuviera que sentir avergonzada por nuestro patio.

—Mary, entiendo que está diciendo que si Mark se decide a hacer estas cuatro cosas, va a considerar sus acciones como expresiones genuinas de su amor por usted —le dije..

—Así es —me dijo—. Sería maravilloso que él hiciera esas cosas por mí.

—Mark, ¿le parece razonable esta lista? ¿Podría hacer estas cosas?

—Sí —me respondió.

—Mary, ¿le parecen razonables y posibles las cosas de la lista de Mark? ¿Podría hacerlas si se decidiera?

—Sí —me dijo—. Las puedo hacer. En el pasado, me he sentido abrumada, porque por mucho que hiciera, nunca era suficiente.

—Mark —dije—, ¿comprende que esto que estoy sugiriendo significa un cambio con respecto al modelo de matrimonio que vio en sus padres?

—Bueno —me dijo—, mi padre cortaba el césped y lavaba el auto.

—Pero no cambiaba pañales ni le pasaba la aspiradora al piso, ¿no es cierto?

—Cierto —dijo.

—¿Ha comprendido que usted no tiene obligación de hacer esas cosas? No obstante, si las hace, van a ser actos impulsados por su amor a Mary.

Y a Mary le dije:

—Debe comprender que no tiene que hacer esas cosas, pero si le quiere expresar su amor a Mark, aquí tiene cuatro formas que van a estar llenas de significado para él. Les quiero sugerir que las prueben durante dos meses para ver si los ayudan. Al final de los dos meses, tal vez quieran añadir otras peticiones más a sus listas y compartirlas entre sí. No obstante, yo no añadiría más de una petición por mes.

—De veras que esto tiene lógica —dijo Mary.

—Creo que nos ha ayudado —dijo Mark.

Se tomaron de la mano y se fueron caminando hacia su auto. Yo me dije en voz alta: «Me parece que esta es la labor de la iglesia. Creo que voy a disfrutar mi trabajo de consejero». Nunca he olvidado lo que aprendí bajo aquel árbol de jaboncillo.

Después de años de investigación, me he dado cuenta de que Mark y Mary me presentaron una situación única. Raras veces me encuentro con una pareja en la cual ambos hablen el mismo lenguaje de amor. Tanto para Mark como para Mary, los «actos de servicio» eran su lenguaje primario en el amor. Hay centenares de personas que se pueden identificar con Mark o con Mary y reconocer que la forma primaria en que se sienten amadas es por medio de los actos de servicio que realice su cónyuge. Guardar los zapatos, cambiarle los pañales al bebé, lavar los platos o el auto, pasar la aspiradora o cortar el césped son cosas que le dicen mucho a la persona cuyo lenguaje primario en el amor es el de los actos de servicio.

Tal vez se pregunte: *Si Mark y Mary tenían el mismo lenguaje primario en el amor, ¿por qué estaban pasando por tantas dificultades?* La respuesta se encuentra en el hecho de que estaban hablando dialectos distintos. Estaban haciendo cosas el uno por el otro, pero no eran las cosas más importantes. Cuando se los obligó a pensar de manera precisa, identificaron con facilidad sus dialectos concretos. Para Mary se trataba de lavar el auto, cambiarles los pañales al bebé, pasarle la aspiradora al piso y cortar el césped, mientras que para Mark era hacer la cama, lavarle la cara al bebé, guardar los zapatos en el armario y tener en marcha la cena cuando él llegara del trabajo. Cuando empezaron a hablar el dialecto correcto, sus tanques de amor se comenzaron a llenar. Puesto que su lenguaje primario en el amor era el de los actos de servicio, les fue relativamente fácil aprender cada cual el dialecto concreto del otro.

Antes de dejar a Mark y Mary, me gustaría hacer tres observaciones más. En primer lugar, ellos dos ilustran con claridad que aquello que hacemos el uno por el otro antes del matrimonio no es indicación de lo que haremos después de casados. Antes del matrimonio, nos arrastra la fuerza del enamoramiento. Una vez casados, volvemos a ser las personas que éramos antes de enamorarnos. Nuestras acciones reciben la influencia del modelo que vimos en nuestros padres, de nuestra propia personalidad, de la forma en que entendemos el amor, nuestras emociones, nuestras necesidades y nuestros deseos. Solo hay una cosa cierta con respecto a nuestra conducta: no va a ser la misma que teníamos cuando estábamos encerrados en nuestro enamoramiento.

Esto me lleva a la segunda verdad que ilustran Mark y Mary. El amor es una decisión, y no se puede obtener por la fuerza. Ellos se estaban criticando mutuamente su conducta, sin llegar a nada útil. Una vez que decidieron pedirse las cosas en lugar de exigirlas, su matrimonio comenzó a dar un giro positivo. Las críticas y las exigencias tienden a meter cuñas en las relaciones. Si usted critica lo suficiente, es posible que su cónyuge termine consintiendo en lo que usted quiere. Tal vez lo haga, pero es probable que no se trate de una manifestación de amor. Usted puede ir guiando su amor a base de hacerle peticiones: «Querría que lavaras el auto, que le cambiaras los pañales al bebé, que cortaras el césped». Sin embargo, no puede crear en él la voluntad de amarlo. Cada uno de nosotros debe decidir a diario si va a amar o no a su cónyuge. Si nos decidimos a amarlo, entonces debemos decidirnos a expresar ese amor de la manera que nos pide nuestro cónyuge porque de esa manera nuestro amor va a tener su mayor eficacia emocional.

Hay una tercera verdad, que solo el amante maduro es capaz de escuchar. Las críticas de mi cónyuge con respecto a mi conducta me proporcionan la pista más clara sobre su lenguaje primario en el amor. Las personas tienden a criticar con mayor fuerza a su cónyuge en el aspecto en el cual ellas tienen sus necesidades emocionales más profundas. Sus críticas son una manera poco eficaz de suplicar amor. Si comprendemos esto, nos podría ayudar a procesar sus críticas de una manera más productiva. Después que un esposo critica a su esposa, esta le podría decir: «Me parece que esto es sumamente importante para ti. ¿Me podrías explicar por qué tiene tanta importancia?». Es frecuente que las críticas necesiten una aclaración. Si se inicia una conversación de este tipo, al final la crítica se podría estar convirtiendo en una petición, en lugar de ser una exigencia. La condenación constante de Mary sobre la afición de Mark a las cacerías no era una expresión de odio hacia el deporte de la caza. Ella le echaba la culpa a la caza como lo que impedía que él lavara el auto, le pasara la aspiradora al piso y cortara el césped. Cuando él aprendió a satisfacer la necesidad de amor de ella a base de hablar su lenguaje emocional en el amor, ella quedó libre para apoyarlo en su afición a la cacería.

¿Alfombra o amante?

«Llevo veinte años sirviéndolo. Todo este tiempo le he servido de criada. He sido la alfombra que ha pisoteado sin prestarme atención, maltratándome y humillándome frente a mis amistades y a la familia. No lo odio. No le deseo ningún mal, pero me siento ofendida y ya no quiero seguir viviendo con él». Esta esposa llevaba veinte años realizando actos de servicio, pero no habían sido expresiones de amor. Los había realizado movida por el temor, la culpa y el resentimiento.

La alfombra es un objeto inanimado. Nos podemos limpiar los zapatos en ella, pararnos encima de ella, darle patadas o hacer lo que nos parezca con ella. No tiene voluntad propia. Puede ser nuestra servidora, pero no nos puede amar. Cuando tratamos como objetos a nuestros cónyuges, estamos impidiendo la posibilidad de que nos ame. La manipulación por medio de los sentimientos de culpa («Si fueras una buena esposa, harías esto por mí») no es un lenguaje de amor. La coerción por medio del temor («O haces esto, o lo vas a lamentar») es ajena al amor. Nadie debería ser jamás una alfombra. Tal vez permitamos que nos utilicen, pero en realidad somos criaturas con emociones, pensamientos y deseos. Y tenemos capacidad para tomar decisiones y actuar. Cuando permitimos que otro nos utilice o nos manipule, no estamos actuando con amor. Es más, estamos cometiendo una traición. Estamos permitiendo que desarrolle unos hábitos inhumanos. El amor es el que dice: «Te amo demasiado para permitir que me trates así. Eso no es bueno ni para ti ni para mí».

La superación de los estereotipos

El aprendizaje del lenguaje del amor a base de actos de servicio exige que algunos de nosotros examinemos de nuevo nuestros estereotipos en cuanto al papel del esposo y el de la esposa. Mark estaba haciendo lo que hacemos de manera natural la mayoría de nosotros. Estaba siguiendo el modelo de sus padres, pero ni siquiera eso lo estaba haciendo bien. Su padre lavaba el auto y cortaba el césped. Él no lo hacía, pero esa era la imagen mental que tenía de lo que debe hacer un esposo. Decididamente, no se veía pasando la aspiradora por el piso ni cambiándole los pañales al bebé. Hay que reconocerle que estuvo dispuesto a alejarse de sus estereotipos cuando se dio cuenta de lo importante que era todo aquello para Mary. Es necesario que lo hagamos todos nosotros si el lenguaje primario de nuestro cónyuge en el amor nos pide algo que nos parece inadecuado para el papel que desempeñamos.

A causa de los cambios sociológicos ocurridos en estos últimos treinta años, ya no existe un estereotipo corriente sobre los papeles del hombre y de la mujer en la sociedad estadounidense. Sin embargo, eso no significa que se hayan eliminado todos los estereotipos. Lo que significa más bien es que se ha multiplicado el número de estereotipos. Antes de los tiempos de la televisión, la idea que tenía una persona de lo que debe hacer un esposo o una esposa, y de cómo se debe relacionar, recibía en primer lugar la influencia de sus propios padres. Sin embargo, con la invasión de la televisión y la proliferación de las familias de un solo padre, es frecuente que los modelos reciban la influencia de fuerzas externas al hogar. Cualquiera que sea la forma en que usted perciba esto, lo más probable es que su cónyuge perciba los papeles a desempeñar dentro del matrimonio de una manera distinta a la suya. Necesitamos estar dispuestos a examinar y cambiar nuestros estereotipos para poder expresar nuestro amor con mayor eficacia. Recuerde que no hay recompensa alguna por mantener vivos los estereotipos, pero sí se producen unos beneficios inmensos cuando satisfacemos las necesidades emocionales de nuestro cónyuge.

Hace poco, una señora me dijo:

—Doctor Chapman, voy a enviar a todos mis amigos a su seminario.

—¿Y por qué va a hacerlo? —le pregunté.

—Porque ha cambiado nuestro matrimonio de una manera radical —me contestó—. Antes del seminario, Bob nunca me ayudaba en nada. Ambos comenzamos a trabajar en nuestras profesiones inmediatamente después de la universidad, pero siempre fue responsabilidad mía hacer todas las cosas de la casa. Era como si nunca le hubiera pasado por la mente ayudarme en nada. Después del seminario, comenzó a preguntarme: "¿Qué puedo hacer para ayudarte esta tarde?". Era asombroso. Al principio no podía creer que fuera real, pero ha seguido haciéndolo ya durante tres años.

»Tengo que admitir que en aquellas primeras semanas hubo momentos de prueba y también de humor, porque él no sabía hacer nada. La primera vez que lavó la ropa, usó lejía sin diluir, en lugar del detergente normal. Nuestras toallas azules salieron con lunares blancos. Después estuvo la primera vez que usó el triturador de basura. Sonó muy extraño, y poco después comenzaron a salir burbujas de jabón del fregadero de al lado. Él no sabía qué estaba pasando, hasta que yo apagué el triturador, metí la mano dentro y saqué los restos de una barra nueva de jabón, reducida ya al tamaño de una peseta, pero él me estaba hablando en mi idioma y mi tanque se estaba llenando. Ahora lo sabe hacer todo en la casa y siempre me está ayudando. Pasamos mucho más tiempo juntos, porque yo no tengo que estar trabajando todo el tiempo. Créame, yo también he aprendido su lenguaje, y le mantengo el tanque lleno.

¿Será tan sencillo todo en realidad?

Sencillo, sí. Fácil, no. Bob tuvo que trabajar duro para echar abajo el estereotipo con el que había vivido durante treinta y cinco años. No fue fácil, pero él mismo le diría que cuando aprendemos el lenguaje primario de nuestro cónyuge en el amor, y nos decidimos a hablarlo, las cosas cambian grandemente en el clima emocional de nuestro matrimonio. Y pasemos ahora al quinto lenguaje del amor.

NOTAS

[1] Juan 13:3-17

[2] Gálatas 5:13.

Si el lenguaje de amor de su esposa es los *actos de servicio...*

Si usted hace las cosas que ya se le han sugerido, estará abarcando sus diez peticiones principales y también muchos actos de amor más. Pero siempre hay algo más que podemos hacer.

- Muchos hombres saben que hay alguna tarea (o tareas) de las cuales su esposa ha desistido de pensar que se van a llegar a hacer algún día. Sorpréndala: haga esa tarea.
- Si ella le pide que haga algo, hágalo. No haga que se lo tenga que repetir.
- Haga planes para levantarse media hora antes (o irse a la cama media hora después) cada día durante una semana, y use ese tiempo para planificar y realizar actos de servicio a favor de su esposa.
- Piense en algo que ella no esperaría nunca. Póngase a pulir sus cubiertos de plata, reorganice el sótano para que quepan allí los archivos viejos de cosas de la casa que ella tiene, limpie los gabinetes de la despensa y la cocina, o haga lo que sea.
- Prepare la cena. Cocine de verdad, y no olvide los vegetales. Después límpielo todo, y no se olvide de limpiar la estufa.
- Lleve «de compras» a su esposa a través de las páginas amarillas del directorio telefónico. Deje que sea ella la que escoja un servicio que necesiten: limpieza de canales en el techo, pintura, limpieza de alfombras al vapor o lo que sea.
- Piense en las cosas de las que se queja con mayor frecuencia y haga cuanto le sea posible para evitar que esas quejas se repitan en el futuro próximo. Por ejemplo, si da la impresión de que siempre se les está acabando el papel higiénico, vaya a un almacén y aprovisione todos sus baños con suficiente papel para seis meses.
- Manténgase cerca de ella en sus tiempos de dolor (como cuando fallezca uno de sus padres). Aunque prefiera manifestar su luto de

otra forma, apoyarla a ella en momentos así puede ser un gran acto de servicio.

- No esté siempre proclamando lo que hace por su esposa. De vez en cuando, hágale en secreto algún servicio sin decirle nada, y quédese observando, a ver cuánto tiempo pasa antes que se dé cuenta.
- Si su esposa siempre parece estar corriendo por las mañanas, trate de hallar una forma de darle unos cuantos minutos más: vaya más temprano (o más tarde) al baño, envuelva el almuerzo de los niños para la escuela o prepare el café.
- Piense en su círculo de amigos, y las habilidades que estos tengan. ¿Puede llamar a alguno de ellos para que le hagan a su esposa un servicio que usted no le puede hacer?
- Si su esposa disfruta tanto de lo que usted hace por ella, que quiere participar solo por divertirse, trabajen juntos para crear actos de servicio a favor de otras personas que conozcan. (Y mire por dónde van a pasar juntos unos tiempos de calidad cuando estén haciendo sus planes).
- Piense en lo que podría hacer para servir a alguien a quien ella ama (amigos, parientes, iglesia, causas favoritas).
- Cuando su esposa esté viendo su programa favorito en la televisión, ahórrele las interrupciones. Tome todas las llamadas telefónicas, hágase cargo de las emergencias con sus hijos, y cosas semejantes.
- Si sabe de otros hombres que estén leyendo este libro, intercambie ideas con ellos para conseguir ideas nuevas que se puedan llevar a cabo.

Palabras de afirmación

Regalos

Tiempo de calidad

Actos de servicio

Toque físico

Lenguaje #5 del amor:

Toque físico

Por largo tiempo hemos sabido que el toque físico es una forma de comunicar la emoción del amor. Son numerosos los proyectos de investigación en el aspecto del desarrollo del niño que han llegado a esta conclusión: Los bebés a quienes cargan, abrazan y besan, desarrollan una vida emocional más sana que aquellos que se dejan durante largos períodos de tiempo sin contacto físico. La importancia de tocar a los niños no es una idea moderna. En el siglo primero, los hebreos que vivían en Tierra Santa, reconociendo en Jesús a un gran maestro, le traían sus hijos «para que los tocase»[1]. Como recordará, los discípulos de Jesús regañaron a aquellos padres, pensando que Jesús estaba demasiado ocupado para una actividad tan frívola. Sin embargo, las Escrituras dicen que Jesús se indignó con sus discípulos y les dijo: «Dejad a los niños venir a mí, y no se lo impidáis; porque de los tales es el reino de Dios. De cierto os digo, que el que no reciba el reino de Dios como un niño, no entrará en él. Y tomándolos en los brazos, poniendo las manos sobre ellos, los bendecía»[2]. En todas las culturas, los padres sabios son padres que tocan a sus hijos.

El contacto físico es también un poderoso vehículo para la comunicación del amor marital. Los actos de tomarse de la mano, besarse, abrazarse y tener relaciones sexuales siempre han sido formas de comunicarle la emoción de nuestro amor a nuestro cónyuge. Hay personas cuyo lenguaje de amor primario es el toque físico. Sin él, sienten que no los aman. Con él, se llena su tanque emocional y se sienten seguros del amor de su cónyuge.

La gente de antes solía decir: «El amor entra por la cocina». Muchos hombres han sido «engordados para la matanza» por mujeres que han creído en esta manera de pensar. Por supuesto, la gente antigua no estaba pensando en los problemas del corazón físico, sino en el centro del romanticismo en el ser humano. Habría sido más exacto decir que el amor les entra a algunos por la cocina. Recuerdo a un esposo que me dijo: «Doctor Chapman, mi esposa es cocinera de altura. Se pasa horas en la cocina. Hace unas comidas muy elaboradas. ¿Y yo? Yo soy un hombre de carne con papas. Le digo que está desperdiciando su tiempo. A mí la que me gusta es la comida sencilla. Ella se ofende y me dice que yo no soy agradecido con ella. Todo lo que quisiera es que se hiciera la vida más fácil y no pasara tanto tiempo haciendo unas comidas tan complicadas. Entonces podríamos pasar más tiempo juntos y ella tendría energía para otras cosas». Obviamente, esas «otras cosas» estaban más cercanas al corazón de él, que las comidas elegantes.

La esposa de aquel hombre era una persona frustrada en cuanto al amor. En la familia en la cual ella creció, la madre era una cocinera excelente, y el padre apreciaba sus esfuerzos. Ella recuerda haber oído que el padre le decía a la madre: «Cuando me siento a comer cosas como esta, me es fácil amarte». El padre era toda una fuente de comentarios positivos en cuanto a la cocina de la madre. Tanto en privado como en público, elogiaba sus habilidades culinarias. La hija había aprendido bien de acuerdo al modelo materno. El problema estaba en que no se había casado con su padre, y su esposo tenía un lenguaje distinto para el amor.

En mi conversación con su esposo, no tardé demasiado en descubrir que para él, las «otras cosas» eran las relaciones sexuales. Cuando su esposa le respondía sexualmente, él se sentía seguro del amor de ella. Pero cuando, por la razón que fuera, ella se retiraba sexualmente de él, ni todas sus habilidades culinarias eran capaces de convencerlo de que ella lo amaba de verdad. No tenía objeción en cuanto a las comidas elaboradas, pero en su corazón, esas comidas nunca podrían sustituir lo que él consideraba como «amor».

No obstante, las relaciones sexuales solo son uno de los dialectos dentro del lenguaje de amor del contacto físico. De los cinco sentidos, es solo el del tacto el que, a diferencia de los otros cuatro, no se encuentra limitado a una región localizada del cuerpo. Hay unos diminutos receptores táctiles que se hallan diseminados por todo el cuerpo. Cuando se toca u oprime esos receptores, los nervios llevan los impulsos hasta el cerebro. El cerebro interpreta esos impulsos y nosotros percibimos que la cosa que nos ha tocado es caliente o fría, dura o suave. Causa dolor o placer. También la podemos interpretar como amorosa u hostil.

Hay algunas partes del cuerpo que son más sensibles que las otras. La diferencia se debe al hecho de que esos diminutos receptores táctiles no se hallan esparcidos de manera uniforme por todo el cuerpo, sino agrupados. Así, la punta de la lengua es sumamente sensible al tacto, mientras que la parte posterior de los hombros es la zona menos sensible. Las puntas de los dedos de las manos y la punta de la nariz son también zonas extremadamente sensibles. Ahora bien, no tenemos el propósito de comprender la base neurológica del sentido del tacto, sino más bien su importancia psicológica.

El toque físico puede crear o destruir una relación. Puede comunicar odio o amor. Para la persona cuyo lenguaje primario en el amor es el toque físico, el mensaje va a gritar mucho más alto que las palabras «Te odio» o «Te amo». Un bofetón en el rostro es algo dañino para cualquier niño, pero es devastador para un niño cuyo lenguaje de amor primario es el tacto. Un tierno abrazo le comunica amor a cualquier niño, pero le grita que lo ama al niño cuyo lenguaje primario en el amor es el del toque físico. Lo mismo es cierto en cuanto a los adultos.

En el matrimonio, el contacto de amor puede tomar muchas formas. Puesto que los receptores del tacto se hallan situados a lo largo de todo el cuerpo, tocar de manera amorosa a su cónyuge casi en cualquier lugar puede ser una expresión de amor. Eso no significa que todos los contactos sean iguales. Hay algunos que le van a dar mayor placer a su esposa que otros. Su mejor instructora es su esposa misma, por supuesto. Al fin y al cabo, ella es la persona que usted está tratando de amar. Ella es la que mejor sabe lo que percibe como un toque amoroso. No insista en tocarla a su manera y en su momento. Aprenda a hablar su dialecto en el amor. Es posible que a ella le parezcan incómodas o irritantes ciertas maneras de tocarla. Insistir en seguirla tocando así es comunicarle lo contrario del amor. Es decirle que usted es insensible ante las necesidades de ella, y que le importa poco lo que ella perciba como agradable. No cometa el error de creer que el contacto que le produce placer a usted también le va a producir placer a ella.

Los contactos de amor pueden ser explícitos y exigir plena atención, como el de frotar la espalda o los juegos sexuales previos que culminan en la copulación. Por otra parte, los contactos de amor también pueden ser implícitos y exigir solo un instante, como el de poner la mano en su hombro mientras le llenamos la taza de café, o el de rozar nuestro cuerpo con el suyo al pasar por su lado en la cocina. Como es obvio, los contactos de amor explícitos se llevan más tiempo, no solo en el acto mismo de tocar, sino también en el desarrollo de su comprensión sobre la forma de comunicarle amor a su consorte de esa manera. Si un masaje en la espalda le comunica fuertemente su amor a su esposa, entonces el tiempo, el dinero y la energía que emplee en aprender a ser un buen masajista, estarán bien invertidos. Si la relación sexual directa es el dialecto primario de su pareja, lo que lea y comente sobre el arte del amor sexual va a mejorar su manera de expresar amor.

Los contactos implícitos de amor requieren poco tiempo y mucho pensamiento, sobre todo si el contacto físico no es nuestro lenguaje primario en el amor, y si no crecimos en una «familia que se toca». Para sentarse cerca el uno del otro en el sofá mientras ven su programa de televisión favorito, no hace falta ningún tiempo extra, pero esto puede comunicar fuertemente su amor. Tocar a su esposa al atravesar la habitación donde ella está sentada es algo que solo toma un instante. Tocarse mutuamente cuando usted sale de la casa, y de nuevo cuando regresa, podría significar solo un breve beso o abrazo, pero le va a hablar abundantemente a su esposa.

Una vez que usted descubre que el toque físico es el lenguaje primario de su cónyuge en el amor, solo su imaginación lo puede limitar en cuanto a formas de expresarle amor. La invención de nuevas formas y lugares donde tocar puede convertirse en un emocionante reto. Si usted no ha sido de los que «tocan por debajo de la mesa», tal vez descubra que esto le va a dar nueva vida a su cena juntos en un restaurante. Si no está acostumbrado a tomarla de la mano en público, tal vez llegue a entender que puede llenar el tanque de amor emocional de ella mientras van caminando por el estacionamiento. Si normalmente no la besa tan pronto como entran juntos al auto, tal vez descubra que esto les va a dar un nuevo realce a sus viajes. Abrazar a su esposa antes que ella se vaya de compras no solo puede ser una expresión de amor, sino que es algo que la podría traer más pronto de vuelta a casa. Intente a tocarla en lugares nuevos y déjela que le responda sobre si le agrada o no. Recuerde que es ella quien tiene la última palabra. Lo que usted está haciendo es aprender a hablar su lenguaje.

El cuerpo es para tocarlo

Todo lo que yo soy reside en mi cuerpo. Tocarlo es tocarme a mí. Alejarse de él es distanciarse emocionalmente de mí. En nuestra sociedad, darse la mano es una forma de comunicarle apertura y cercanía social a otra persona. Cuando, en raras ocasiones, un hombre se niega a darle la mano a otro, esto le comunica el mensaje de que las cosas no andan bien en su relación. Todas las sociedades tienen alguna forma de contacto físico como medio de saludar en sociedad. El varón estadounidense promedio es posible que no se sienta cómodo con los grandes abrazos y los besos de los europeos, pero en Europa esas manifestaciones tienen la misma función que nuestro apretón de manos.

En todas las sociedades hay maneras adecuadas e inadecuadas de tocar a los miembros del sexo opuesto. La atención que se les ha prestado recientemente a los acosos sexuales ha puesto en evidencia las formas inadecuadas. Sin embargo, dentro del matrimonio, no que es adecuado o no es determinado por la propia pareja, dentro de ciertas normas muy amplias. Por supuesto, el abuso físico es considerado inadecuado por la sociedad, y se han formado organizaciones sexuales para ayudar a «la esposa maltratada y el esposo maltratado». Está claro que nuestro cuerpo es para tocarlo; no para maltratarlo.

Estos tiempos se caracterizan como la era de la apertura y la libertad sexual. Con esa libertad, hemos demostrado que el matrimonio abierto, en el cual ambos cónyuges se sienten en libertad de tener intimidad sexual con otras personas, es una fantasía. Los que no tienen objeciones por motivos de moralidad, terminan teniéndolas por motivos de tipo emocional. Hay algo en nuestra necesidad de intimidad y de amor, que no nos permite que le demos esa libertad a nuestro cónyuge. El dolor emocional es profundo y la intimidad se evapora cuando estamos conscientes de que nuestro cónyuge se halla envuelto sexualmente con otra persona. Los archivos de los consejeros están repletos de registros de esposos y esposas que están tratando de batallar con el trauma emocional de un cónyuge infiel. No obstante, ese trauma es más complejo aún para la persona cuyo lenguaje de amor primario es el contacto físico. Aquello que tan profundamente anhela, ese amor expresado por medio del toque físico, se le está entregando ahora a otro. Su tanque de amor emocional no solo está vacío, sino que ha sido dañado por una explosión. Van a hacer falta grandes reparaciones para que se puedan satisfacer esas necesidades emocionales.

Las crisis y el contacto físico

En los momentos de crisis nos abrazamos de forma casi instintiva. ¿Por qué? Porque el contacto físico es un poderoso comunicador del amor. En un momento de crisis, por encima de todo, lo que necesitamos es sentirnos amados. No siempre podemos cambiar los acontecimientos, pero sí podemos sobrevivir si sentimos que nos aman.

Todos los matrimonios pasan por crisis. La muerte de los padres es algo inevitable. Los accidentes de automóvil dejan inválidas o muertas a miles de personas todos los años. Las enfermedades no respetan a nadie. Las desilusiones forman parte de la vida. Lo más importante que podemos hacer por nuestra consorte en un momento de crisis es amarla. Si el lenguaje de amor primario de ella es el contacto físico, no hay nada más importente que tenerla en nuestros brazos cuando llore. Nuestras palabras podrán significar muy poco, pero nuestro contacto físico le va a comunicar que la queremos. Las crisis nos proporcionan una oportunidad única de expresar amor. Ese delicado contacto va a ser recordado mucho después de pasada la crisis. En cambio, si no la ha tocado, eso tal vez nunca lo olvide.

Desde mi primera visita a West Palm Beach, estado de la Florida, hace muchos años, siempre he recibido con agrado las invitaciones para llevar a cabo seminarios sobre el matrimonio en esa zona. En una de esas ocasiones fue cuando conocí a Pete y Patsy. No eran nativos de la Florida (son pocos los que lo son), pero habían vivido allí durante veinte años, y consideraban a West Palm Beach como su lugar. Mi seminario era patrocinado por una iglesia local, y mientras salíamos del aeropuerto, el pastor me informó que Pete y Patsy habían solicitado que yo pasara la noche en la casa de ellos. Traté de fingirme emocionado, pero por experiencia sabía que esas peticiones suelen significar que habrá una sesión de consejería hasta altas horas de la noche. Sin embargo, esa noche me iban a sorprender de varias formas.

Cuando el pastor y yo entramos en aquella espaciosa casa de estilo español tan bien decorada, me presentó a Patsy y también a Charlie, el gato de la familia. Al mirar a mi alrededor, tuve la impresión de que, o a Pete le iba muy bien en los negocios, o su padre le había dejado una gigantesca herencia, o estaba metido en deudas hasta la coronilla. Más tarde descubrí que mi primera impresión era la correcta. Cuando me mostraron el cuarto de huéspedes, observé que Charlie, el gato, tomaba aquel cuarto como suyo y se estiraba a lo ancho de la cama donde yo iba a dormir. Pensé: Este gato sí que tiene suerte.

Pete llegó poco después a la casa y comimos juntos una deliciosa merienda, acordando que cenaríamos después del seminario. Varias horas más tarde, mientras cenábamos, yo seguía esperando que comenzara la sesión de consejería. Nunca llegó a comenzar. En lugar de esto, descubrí que Pete y Patsy formaban un matrimonio feliz y saludable. Para un consejero, eso es algo raro. Me sentía ansioso por descubrir su secreto, pero como estaba sumamente cansado y sabía que Pete y Patsy me iban a llevar al aeropuerto al día siguiente, decidí indagar cuando estuviera más despierto. Ellos me llevaron a mi cuarto.

Charlie, el gato, fue lo suficientemente educado como para marcharse del cuarto al llegar yo. Saltó de la cama y se dirigió a otro cuarto. Al cabo de unos minutos, yo ya estaba en cama. Después de reflexionar brevemente sobre el día, estaba empezando a quedarme dormido. En el momento mismo en que iba a perder el contacto con la realidad, se abrió de un golpe la puerta de mi cuarto y un monstruo me saltó encima. Yo había oído hablar de los alacranes de la Florida, pero aquello no era un pequeño alacrán. Sin tiempo para pensar, agarré la sábana en la que me había envuelto y, con un grito que helaba las venas, lancé al monstruo contra la pared más lejana. Oí que su cuerpo golpeó la pared, y después todo quedó en silencio. Pete y Patsy llegaron corriendo por el pasillo, encendieron la luz y todos pudimos ver a Charlie tieso en el suelo.

Pete y Patsy nunca me han olvidado, y yo nunca los he olvidado a ellos. Charlie revivió al cabo de unos minutos, pero no volvió a regresar a mi cuarto. Pete y Patsy me contaron más tarde que Charlie nunca volvió a entrar a aquel cuarto.

Después de haber maltratado así a Charlie, no estaba seguro sobre si Pete y Patsy aún querrían llevarme al aeropuerto al día siguiente, o si aún estarían interesados en mí. Sin embargo, mis temores se desvanecieron cuando Pete me dijo después del seminario: «Doctor Chapman, yo he estado en muchos seminarios, pero nunca había oído a nadie describirnos a Patsy y a mí tan claro como lo hizo usted. Esa idea sobre el lenguaje de amor es cierta. Estoy ansioso por contarle nuestra historia».

Pocos minutos después de despedirnos de los que habían asistido al seminario, estábamos en el auto para hacer el recorrido de tres cuartos de hora hasta el aeropuerto. Y Pete y Patsy comenzaron a contarme su historia. En los primeros años de su matrimonio pasaron por grandes dificultades. Sin embargo, unos veintidós años más tarde, todos sus amigos estaban de acuerdo en que eran la «pareja perfecta». Ellos creían con toda certeza que su matrimonio había «bajado del cielo».

Habían crecido en la misma comunidad, asistido a la misma iglesia y graduado en la misma secundaria. Sus padre tenían un estilo de vida y unos valores parecidos. Ellos disfrutaban de muchas cosas parecidas. A ambos les gustaban el tenis y la navegación, y hablaban con frece de la gran cantidad de intereses que tenían en común. Parecían poseer todas esas cosas en común que supuestamente deben asegurar que haya menos conflictos en el matrimonio.

Comenzaron su noviazgo en su último año de secundaria. Aunque asistían después a distintas universidades, se las arreglaban para verse por lo menos una vez al mes, y a veces con mayor frecuencia. Al terminar su primer año de colegio universitario, estaban convencidos de que eran «el uno para el otro». Sin embargo, acordaron terminar sus estudios universitarios antes de casarse. Durante los tres años siguientes, disfrutaron de un noviazgo idílico. Un fin de semana, él la visitaba en su recinto universitario; al fin de semana siguiente, era ella quien lo visitaba a él; al tercer fin de semana, los dos iban a visitar a sus familias, pero se pasaban la mayor parte del tiempo juntos. Al cuarto fin de semana de cada mes, habían acordado no verse, con el fin de darse libertad para desarrollar sus intereses individuales. Con la excepción de sucesos especiales, como los cumpleaños, seguían fielmente ese calendario. Tres semanas antes que él se graduara en administración de negocios y ella en sociología, se casaron. Dos meses más tarde se trasladaron a la Florida, donde le habían ofrecido un buen trabajo a Pete. Estaban ahora a más de tres mil kilómetros de sus parientes más cercanos. Podrían disfrutar de su «luna de miel» para siempre.

Los tres primeros meses fueron emocionantes con todo aquello de la mudanza, de buscar un nuevo apartamento y disfrutar de una vida juntos. El único conflicto que podían recordar tuvo que ver con la labor de lavar los platos. Pete pensaba que él tenía una forma más eficiente de hacerlo. En cambio, Patsy no estaba abierta a esa idea suya. Al final acordaron que quien lavara los platos lo podría hacer a su modo, y así quedó resuelto ese conflicto. Llevaban unos seis meses de casados cuando Patsy comenzó a sentir que Pete se le estaba alejando. Trabajaba más horas, y cuando estaba en la casa, se pasaba mucho tiempo con la computadora. Cuando por fin ella le expresó su sensación de que él la estaba evitando, Pete le dijo que no la estaba evitando, sino solo tratando de mantenerse al día en su trabajo. Le dijo que ella no comprendía las presiones a las que estaba sometido, y lo importante que era que le fuera bien en su primer año en el trabajo. A Patsy no le agradó aquello, pero decidió dejarlo tranquilo.

Patsy comenzó a hacer amistad con otras esposas que vivían en el mismo complejo de apartamentos. Muchas veces, cuando sabía que Pete iba a trabajar hasta tarde, se iba de tiendas con una de sus amigas, en lugar de irse directamente a casa desde el trabajo. A veces, no estaba en la casa cuando llegaba Pete. Eso lo molestaba grandemente a él, y la acusaba de ser desconsiderada e irresponsable. Patsy le respondía: «El caldero le dice a la olla que está negra. ¿Quién es el irresponsable? Tú ni siquiera me llamas para decirme cuándo vas a llegar a la casa. ¿Cómo es posible que yo esté aquí esperando por ti, si ni siquiera sé cuándo vas a estar aquí? Y cuando estás aquí, te pasas todo el tiempo con la dichosa computadora. ¡Tú no necesitas una esposa; todo lo que necesitas es una computadora!».

A esto, Pete respondía en alta voz: «Sí que necesito una esposa. ¿Es que no lo puedes comprender? Eso es lo más importante de todo esto; que sí necesito una esposa».

Pero Patsy no lo comprendía. Se sentía sumamente confundida. En su búsqueda de respuestas, acudió a la biblioteca pública y sacó varios libros sobre el matrimonio. «El matrimonio no debe funcionar así», razonaba. «Tengo que hallar una respuesta a nuestra situación». Cuando Pete se metía en la oficina con la computadora, Patsy tomaba su libro. Muchas veces leyó hasta llegada la medianoche. De camino para la cama, Pete la veía y hacía comentarios sarcásticos, como: «Si hubieras leído tanto en la universidad, habrías tenido sobresaliente en todas las asignaturas». Patsy le respondía: «Ya no estoy en la universidad. Estoy en un matrimonio, y en estos momentos me contentaría con un aprobado». Pete se iba a la cama sin volverla a mirar siquiera.

Al final del primer año, Patsy se sentía desesperada. Lo había mencionado antes, pero esta vez, se lo dijo con toda calma a Pete:

—Me voy a buscar un consejero matrimonial. ¿Quieres ir conmigo?

Pero Pete le respondió:

—Yo no necesito ningún consejero matrimonial. No tengo tiempo para ir a ver a un consejero. Tampoco tengo dinero para pagarlo».

—Entonces me voy a ir sola —le dijo Patsy.

—Muy bien; al fin y al cabo tú eres la que necesitas que te aconsejen.

La conversación había terminado. Patsy se sintió totalmente sola, pero a la semana siguiente hizo una cita con un consejero matrimonial. Después de tres sesiones, el consejero llamó a Pete y le preguntó si estaría dispuesto a ir a hablar acerca de su perspectiva sobre su matrimonio. Pete aceptó ir, y comenzó el proceso de sanidad. Seis meses más tarde, saldrían de la oficina del consejero con un matrimonio nuevo.

—¿Qué aprendieron en esa consejería que le dio un giro tan completo a su matrimonio? —les pregunté.

—Básicamente, doctor Chapman —me dijo Pete—, aprendimos cada cual a hablar el lenguaje del otro para el amor. El consejero no usó esa expresión, pero cuando usted dio su conferencia hoy, lo comprendimos. Mi mente volvió a toda prisa a nuestra experiencia con el consejero, y me di cuenta de que eso es exactamente lo que pasó con nosotros. Por fin aprendimos a hablar cada uno de nosotros en el lenguaje de amor del otro.

—Entonces, ¿cuál es su lenguaje, Pete? —le pregunté.

—El toque físico —me respondió sin titubear.

—Seguro; el toque físico —dijo Patsy.

—¿Y el suyo, Patsy?

—El tiempo de calidad, doctor Chapman. Eso era lo que estaba reclamando en aquellos días cuando él se pasaba todo el tiempo entre su trabajo y la computadora.

—¿Cómo supo que el toque físico era el lenguaje de amor de Pete?

—Me llevó algún tiempo —dijo Patsy—. Poco a poco, comenzó a aflorar en las sesiones de consejería. Al principio, no creo que ni el mismo Pete se diera cuenta.

—Tiene razón —dijo Pete—. Yo me sentía tan inseguro en mi autoestima, que me tomó mucho tiempo estar dispuesto a identificar y reconocer que el hecho de que ella no me tocara fuera lo que causó que yo me apartara. Nunca le dije que quería que me tocara, aunque por dentro estaba clamando para que extendiera la mano y me tocara. En nuestro noviazgo, siempre había sido yo el que había tomado la iniciativa en cuanto a abrazarnos, besarnos y tomarnos de la mano, pero ella siempre me había respondido positivamente. Yo sentía que me amaba, pero después de casarnos, hubo momentos en los cuales yo me le acerqué físicamente, y ella no me respondió. Tal vez con sus responsabilidades en su nuevo trabajo, estuviera demasiado agotada. No sé, pero lo tomé como algo personal. Sentí que no me hallaba atractivo. Entonces decidí que no iba a tomar la iniciativa, porque no quería que me rechazara. Así que esperé para ver cuánto tiempo pasaría antes que ella tomara la iniciativa de un beso, un contacto o una relación sexual. En una ocasión esperé seis semanas sin que me tocara en absoluto. Lo hallé insoportable. Me apartaba para alejarme del dolor que sentía cuando estaba con ella. Me sentía rechazado, indeseado y sin amor.

Entonces Patsy me dijo:

—Yo no tenía ni idea de que eso era lo que él estaba sintiendo. Sabía que no se me estaba acercando. No nos besábamos ni abrazábamos como antes, pero suponía que, como ya estábamos casados, eso ya no le importaba. Sabía que estaba sometido a presiones en su trabajo. No tenía idea de que él quisiera que yo tomara la iniciativa.

»Es cierto. Transcurrían semanas sin que yo lo tocara. Ni por la mente me pasaba. Estaba preparando las comidas, limpiando la casa, lavándole la ropa y tratando de no cruzarme en su camino. Sinceramente, no sabía qué más podía hacer. No podía comprender su aislamiento ni su falta de atenciones conmigo. No es que me disguste tocar, sino que eso nunca había tenido importancia para mí. Lo que me hacía sentir amada y valorada era que pasara tiempo conmigo; que me dedicara su atención. En realidad no me importaba si nos abrazábamos o besábamos. Mientras él me diera su atención, yo me sentía amada.

»Nos llevó mucho tiempo descubrir la raíz del problema, pero una vez que descubrimos que no nos estábamos satisfaciendo mutuamente nuestra necesidad emocional de sentirnos amados, comenzamos a cambiar las cosas. Una vez que yo comencé a tomar la iniciativa en cuanto a tocarlo a él, es asombroso lo que sucedió. Su personalidad, su espíritu, cambiaron de una manera drástica. Tenía un nuevo esposo. Una vez que él se convenció de que era verdad que yo lo amaba, comenzó a ser más sensible ante mis necesidades.

—¿Todavía tiene computadora en la casa? —pregunté.

—Sí —me dijo ella—, pero la usa raras veces, y cuando la usa, no me preocupa, porque sé que no está "casado" con la computadora. Hacemos tantas cosas juntos, que me es fácil darle la libertad de usar la computadora cada vez que quiera.

—Lo que me maravilló a mí en el seminario hoy —dijo Pete—, es la forma en que su conferencia sobre los lenguajes del amor me llevó de vuelta tantos años hasta aquella experiencia. Usted dijo en veinte minutos lo que a nosotros nos tomó medio año aprender.

—Bueno —le dije—, o que importa no es lo rápido que uno aprenda, sino lo bien que aprenda. Y es obvio que ustedes lo han aprendido bien.

Pete solo es uno de los numerosos seres humanos para los cuales el toque físico es el lenguaje primario del amor. Emocionalmente, anhelan que su cónyuge extienda la mano y los toque. Pasarle la mano por el cabello, frotarle la espalda, tomarlo de la mano, abrazarlo, tener relaciones sexuales; todas estas cosas, y otros «toques de amor» son el sustento emocional de la persona para la cual el contacto físico es el lenguaje primario en el amor.

NOTAS

[1] Marcos 10:13; Lucas 18:15.

[2] Marcos 10:14-16.

Si el lenguaje de amor de su esposa es el *toque físico...*

Además de los buenos consejos que ya ha recibido, he aquí algunas ideas más que puede tener en cuenta si su lenguaje primario en el amor es el contacto físico.

- Convierta el contacto con ella en parte normal de su rutina. Despéinela cuando esté sentada leyendo. Tóquele un hombro cuando esté trabajando en la cocina. Estos pequeños actos pueden crear intimidad.
- Tome la costumbre de besarla y abrazarla cuando se despida por la mañana, al volver por la tarde y al irse a acostar. Sobre todo cuando ya se lleva bastante tiempo de casado, es fácil dejar que esas cosas vayan desapareciendo.
- Cambien sus esquemas de conducta para ver lo que sucede. Si cada uno tiene su asiento favorito, muévanlos de manera que cada cual se encuentre al alcance del otro. Duerman en el otro lado de la cama. Es posible que la incomodidad de la situación los lleve a oportunidades inesperadas de tocarse.
- Si normalmente se sientan uno frente a otro en los restaurantes, la próxima vez consigan una cabina y siéntense juntos. Si se suelen sentar juntos, siéntense uno frente a otro y tóquense con los dedos de los pies.
- Aparten una noche para experimentar y decidir dónde es donde más le gusta a su esposa que usted la toque. Cuando vaya pasando de un lugar a otro, tal vez ella se lo pueda ir indicando con el pulgar hacia arriba, hacia abajo o hacia el lado.
- Dé un paso más y consiga libros o videos en los que pueda aprender diversas técnicas para dar masaje. Experimente para ver cuáles son las que más disfruta su esposa.
- Piense en los primeros tiempos de su noviazgo y recuerde la emoción del contacto físico que tal vez ahora dé por sentado. La próxima

vez que esté solo con su esposa, trate de reavivar parte de esa emoción original.

- Descubra de nuevo lo que antes le gustaba tanto acerca del «estacionamiento». Vaya con su esposa a un lugar aislado donde se vea un paisaje pintoresco y siéntese allí, mientras la rodea con su brazo. Haga cuanto pueda por superar el desafío que constituyen los asientos de tipo deportivo en el auto.
- En las meriendas campestres en grupo, o mientras juegan con los niños, dejen de quedarse sentados mientras se desarrollan todas las actividades en las que haya que tocarse. Participen en la carrera con tres piernas, las competencias de carretillas humanas, el paso de naranjas de una barbilla a otra, y cosas así.
- Comience una colección de cantos acerca de lo importante que es tocarse. Recójalos en una cinta grabada o en un CD, para tocarlos continuamente, como manera de recordar cuál es el lenguaje de amor de su esposa.
- Cuando usted sepa que ella ha estado trabajando mucho usando unos músculos que normalmente no ejercita, ofrézcase a darle un masaje (un masaje en las manos después de mecanografiar mucho, o un masaje en las pantorrillas después de caminar mucho, o un masaje en la espalda después de haber estado cavando).
- Al saber que su esposa está sintonizada con el contacto físico, escójale regalos que sean táctiles, como un perro o un gato, una manta de felpa para el sofá o la cama, o un suéter de cachemir.
- La próxima vez que ella se enferme, recuerde el poder sanador del contacto físico. Cuando le duela la cabeza, ofrézcase a frotarle el cuello y las sienes. Cuando sufra de resfriado o de gripe, frótele con frecuencia la frente.
- Enseñe a sus hijos a manifestarle amor a su madre a base de tocarla. Tómense de las manos mientras oran en familia, anímelos a darle las

gracias con un abrazo, y deles ejemplo usted mismo de esa costumbre de tocar.

- Si el lenguaje de su esposa en el amor es el toque físico, hable solo en ese lenguaje durante un cierto tiempo. No diga nada mientras la inunda de atenciones físicas.
- Cuando ella esté de espaldas a usted en la cama, escríbale mensajes breves en la espalda, para ver si ella puede adivinar lo que usted está escribiendo. («Te amo» es preferible a «Se acabó la leche»).

Palabras de afirmación

Regalos

Tiempo de calidad

Actos de servicio

Toque físico

Descubra cuál es su lenguaje *primario* en el amor

ES ESENCIAL QUE USTED DESCUBRA CUÁL ES EL LENGUAJE PRIMARIO DE SU esposa en el amor, para poderle mantener lleno el tanque emocional de amor. Pero primero, asegurémonos de que usted conoce su propio lenguaje en el amor. Después de haber oído hablar de los cinco lenguajes del amor emocional,

Palabras de afirmación *Regalos*
Tiempo de calidad *Actos de servicio* *Toque físico*

hay quienes saben al instante cuál es su propio lenguaje primario para el amor, y también el de su esposa. Para otros, tal vez no sea tan fácil. Hay quienes son como Bob, de Parma Heights, Ohio, quien después de oír hablar de los cinco lenguajes emocionales del amor, me dijo:

—No sé. Me parece que hay dos de ellos que son iguales para mí.

—¿Cuáles dos? —le pregunté.

—"El toque físico"» y las "palabras de afirmación" —me respondió Bob.

—¿Qué quiere decir al hablar de "toque físico?"

—Bueno, sobre todo las relaciones sexuales —me contestó.

Yo sondeé un poco más, preguntándole:

—¿Le agrada que su esposa le pase la mano por el cabello, que le dé un masaje en la espalda, que lo tome de la mano, o que lo bese y abrace en momentos en que no estén teniendo relaciones sexuales?

—Todo eso es bueno —dijo Bob—. No lo rechazo, pero lo principal es la relación sexual. Entonces es cuando sé que ella me ama de verdad.

Dejando por un momento el tema del contacto físico, pasé a las palabras de afirmación y le pregunté:

—Cuando usted dice que las palabras de afirmación también son importantes, ¿qué clase de declaraciones le parecen más útiles?

—Prácticamente todas, si son positivas —contestó Bob—. Cuando ella me dice lo bien que me veo, lo listo que soy, lo mucho que trabajo; cuando me expresa su agradecimiento por las cosas que hago en la casa; cuando hace un comentario positivo sobre el tiempo que dedico a estar con nuestros hijos; cuando me dice que me ama… En realidad, todas esas cosas significan mucho para mí.

—¿Recibía ese tipo de comentarios de parte de sus padres cuando era niño?

—No con frecuencia —me dijo—. Por lo general, lo que recibía de mis padres eran palabras de crítica o de exigencia. Pienso que esa es la razón por la que aprecié tanto a Carol desde el principio, porque ella me daba palabras de afirmación.

—Permítame preguntarle una cosa. Si Carol estuviera satisfaciendo sus necesidades sexuales; esto es, si estuvieran teniendo relaciones sexuales de calidad con tanta frecuencia como usted quisiera, pero le estuviera diciendo cosas negativas, haciendo observaciones críticas, humillándolo a veces frente a otras personas, ¿le parece que se sentiría amado por ella?

—No lo creo —me contestó—. Pienso que me sentiría traicionado y profundamente herido. Creo que me deprimiría.

—Bob —le dije—, creo que acabamos de descubrir que su lenguaje primario en el amor es las «palabras de afirmación». Las relaciones sexuales son sumamente importantes para usted y para su sensación de intimidad con Carol, pero emocionalmente, las palabras de afirmación de ella son más importantes para usted. En realidad, si ella lo estuviera criticando todo el tiempo y lo humillara frente a otras personas, llegaría un momento en el que dejaría de desear las relaciones sexuales con ella, porque se habría convertido en una fuente de dolor para usted.

Bob había cometido un error que es común a muchos hombres: dar por sentado que el «toque físico» es su lenguaje primario en el amor, porque desean las relaciones sexuales de una manera muy intensa. El apetito sexual del varón tiene una base física. Es decir, el deseo de tener relaciones sexuales es estimulado por la acumulación de células reproductoras y líquido seminal en las vesículas seminales. Cuando estas vesículas están llenas, hay una presión física que busca vaciarlas. Es decir, que el deseo de relaciones sexuales por parte del varón tiene raíces físicas.

El apetito sexual de la mujer tiene sus raíces en sus emociones, y no en su fisiología. No hay nada físico que se acumule y la empuje a tener relaciones. Sus deseos tienen una base emocional. Si se siente amada, admirada y valorada por su esposo, siente también el deseo de tener intimidad física con él. En cambio, sin la cercanía emocional, es posible que tenga muy pocos deseos físicos.

Puesto que el varón es presionado físicamente a tener un escape sexual de una manera más o menos constante, puede llegar a suponer de forma automática que ese es su lenguaje primario para el amor. Pero si no disfruta del toque físico en otros momentos, y de unas formas que no sean sexuales, es posible que no lo sea en absoluto. El apetito sexual es muy distinto a su necesidad emocional de sentirse amado. Eso no significa que las relaciones sexuales carezcan de importancia para él, tienen suma importancia, sino que esas relaciones no satisfacen ellas solas su necesidad de sentirse amado. Es necesario también que su esposa hable su lenguaje emocional primario en el amor.

Cuando realmente su esposa habla su lenguaje primario en el amor y su tanque emocional de amor está lleno; él habla el lenguaje primario de ella en el amor y ella tiene su tanque emocional lleno, el aspecto sexual de sus relaciones se resuelve solo. La mayor parte de los problemas sexuales que hay en un matrimonio tienen poco que ver con las técnicas físicas, y mucho con la satisfacción de las necesidades emocionales.

Después de conversar y reflexionar más, Bob me dijo:

—¿Sabe una cosa? Creo que usted tiene razón. Decididamente, las «palabras de afirmación» son mi lenguaje primario en el amor. Cuando ella ha estado cortante y me ha criticado con sus palabras, yo tiendo a alejarme sexualmente de ella y fantasear acerca de otras mujeres. En cambio, cuando me dice lo mucho que me valora y me admira, mis apetitos sexuales naturales se orientan hacia ella.

Bob había hecho un importante descubrimiento en nuestra breve conversación.

¿Cuál es su lenguaje primario en el amor? ¿Qué es lo que más hace que usted sienta que su esposa lo ama? ¿Qué anhela por encima de todo lo demás? Si la respuesta a estas preguntas no le salta a la mente enseguida, tal vez le ayudará echar una mirada al uso negativo de los lenguajes del amor. ¿Qué hace o dice su esposa, o deja de hacer o decir, que lo hiere profundamente? Por ejemplo, si el dolor más profundo se lo causan unas palabras de crítica por parte de ella, entonces es posible que su lenguaje en el amor sea el de las «palabras de afirmación». Si su esposa usa de manera negativa el lenguaje primario de usted en el amor, es decir, si hace lo opuesto, eso lo va a herir más profundamente a usted que a otra persona, porque no solo ella no está queriendo hablar su lenguaje primario en el amor, sino que en realidad, está utilizando ese lenguaje como un cuchillo que le llega al corazón.

Recuerdo a Mary, de Kitchener, Ontario, que me dijo: «Doctor Chapman, lo que más me duele es que Ron nunca levanta una mano para ayudarme en las cosas de la casa. Se pone a ver televisión mientras yo hago todo el trabajo. No comprendo cómo podría hacer algo así, si me amara realmente». El dolor más profundo de Mary, el de que Ron no la ayudaba a hacer las cosas de la casa, fue la pista para descubrir su lenguaje primario en el amor: «actos de servicio». Si le duele profundamente que su esposa raras veces le haga un regalo, cualquiera que sea la ocasión, entonces tal vez su lenguaje primario en el amor sea el de «recibir regalos». Si lo que más le duele es que raras veces su esposa le dedica tiempo de calidad, entonces ese es su lenguaje primario en el amor.

Otra manera de descubrir su lenguaje primario para el amor es recordar la historia de su matrimonio y preguntarse: «¿Qué es lo que le he pedido con mayor frecuencia a mi esposa?». Es muy probable que aquello que más le haya pedido esté en consonancia con su lenguaje primario en el amor. Es posible que ella haya interpretado esas peticiones suyas como quejas continuas. En realidad, han sido sus esfuerzos por asegurarse el amor emocional de ella.

Elizabeth, quien vivía en Maryville, Indiana, usó este método para descubrir su lenguaje primario en el amor. Al terminar una sesión del seminario, me dijo:

—Cada vez que contemplo los diez años últimos de mi matrimonio y me pregunto qué es lo que más le he pedido a Peter, se me hace evidente mi lenguaje para el amor. Lo que le he pedido con más frecuencia es «tiempo de calidad». Una y otra vez, le he pedido que salgamos de merienda al campo, que nos vayamos juntos a pasarnos un fin de semana, que apaguemos la televisión por solo una hora para conversar, que salgamos juntos a caminar, y cosas así. He sentido que me descuidaba y que no me amaba, porque ha sido muy raro que respondiera positivamente ante mis peticiones. Me daba muy buenos regalos el día de mi cumpleaños y en las ocasiones especiales, y se preguntaba por qué no me sentía emocionada con esos regalos.

»Durante su seminario —siguió diciendo—, se nos iluminó la mente a los dos. Durante el tiempo de descanso, mi esposo me pidió perdón por haber sido tan cargante a lo largo de los años, y haberse resistido tanto ante mis peticiones. Me prometió que las cosas van a ser distintas en el futuro, y yo creo que así será.

Otra forma de descubrir su lenguaje primario en el amor consiste en examinar lo que usted hace o dice para manifestarle amor a su cónyuge. Es muy probable que esté haciendo por ella lo que querría que ella hiciera por usted. Si le está haciendo continuamente «actos de servicio» a su esposa, tal vez (aunque no siempre) sea ese su lenguaje en el amor. Si las «palabras de afirmación» hablan de amor para usted, es probable que las use para decirle a su esposa que la ama. Así que nos es posible descubrir nuestro propio lenguaje, preguntándonos: «¿Cómo le expreso de manera consciente mi amor a mi cónyuge?».

Pero recuerde que ese enfoque solo constituye una posible pista en cuanto a su lenguaje en el amor; no es una indicación absoluta. Por ejemplo, el esposo que aprendió de su padre a expresarle su amor a la esposa a base de hacerle buenos regalos, le expresa su amor haciendo lo mismo que hacía su padre; sin embargo, «recibir regalos» no es su lenguaje primario en el amor. Solo está haciendo lo que su padre le enseñó a hacer.

Le sugiero tres formas de descubrir su propio lenguaje primario en el amor.

1. ¿Qué hace o deja de hacer su cónyuge que lo hiere más profundamente? Es probable que lo contrario a lo que le hiere sea su lenguaje en el amor.

2. ¿Qué le ha pedido con mayor frecuencia a su cónyuge? Lo que le haya pedido con mayor frecuencia tiene grandes probabilidades de ser lo que más le haría sentir que lo ama.

3. ¿De qué forma le suele expresar su amor a su cónyuge? Su método para expresarle su amor puede ser indicativo de aquello que también lo haría sentir amado a usted mismo.

Es probable que si lo enfoca desde estos tres puntos de vista, pueda determinar cuál es su lenguaje primario en el amor. Si le parece que hay dos lenguajes que tienen igual importancia para usted, es decir, que ambos le hablan fuertemente, entonces es posible que sea bilingüe. De ser así, las cosas son más fáciles para su cónyuge. Ahora dispone de dos posibilidades. Cualquiera de las dos le va a comunicar con fuerza el amor que le tiene.

Hay dos clases de personas que podrían tener dificultades para descubrir su lenguaje primario en el amor. La primera es la persona cuyo tanque emocional de amor lleva mucho tiempo lleno. Su cónyuge le ha expresado su amor de muchas formas, y no está segura sobre cuál de ellas la hace sentir más amada. Sencillamente, sabe que la aman. La segunda es la persona cuyo tanque de amor lleva vacío tanto tiempo, que no recuerda ya qué la hace sentirse amada. En ambos casos, les recomiendo que regresen a la experiencia del enamoramiento y se pregunten: «¿Qué me gustaba de mi cónyuge en aquellos días? ¿Qué hacía o decía que me hacía tener deseos de estar con ella?». Si puede resucitar esos recuerdos, le darán alguna idea sobre su lenguaje primario en el amor. Otro enfoque sería preguntarse: «¿Cuál sería la esposa ideal para mí? Si pudiera tener la compañera perfecta, ¿cómo sería?». La imagen que usted tenga de una compañera ideal le debería dar alguna idea sobre su lenguaje primario en el amor.

Después de haber dicho todo esto, le sugiero que dedique algún tiempo a poner por escrito el lenguaje del amor que usted considere el primario para su persona. Después, escriba los otros cuatro por orden de importancia. Escriba también el lenguaje de amor que cree que es el primario para su esposa. También puede escribir los otros cuatro por orden de importancia, si lo desea. Pídale a ella que haga lo mismo. Siéntense juntos y hablen sobre el lenguaje de amor que usted pensó que era el primario para ella. Después díganse el uno al otro cuál es el lenguaje del amor que cada cual considera como su lenguaje primario.

Una vez compartida esa información, le sugiero que hagan el siguiente juego tres veces por semana durante tres semanas. El juego se llama «Medir el tanque», y se juega así. Cuando se reúnan en casa, uno de los dos le dice al otro: «En una escala de cero a diez, ¿a qué altura se encuentra tu tanque de amor esta tarde?» Cero significa vacío, y diez significa «Estoy repleto de amor, y ya no me cabe más». Se dan una medida de su tanque emocional de amor: 10, 9, 8, 7, 6, 5, 4, 3, 2, 1, 0, para indicar hasta qué nivel está lleno. Su esposa le dice: «¿Qué podría hacer para ayudarte a llenarlo?».

Entonces, usted hace una sugerencia; algo que le gustaría que ella hiciera o dijera esa tarde. Ella responde su petición lo mejor que le sea posible. Entonces, repiten el proceso en orden inverso, de manera que ambos tengan la oportunidad de medir sus tanques de amor y de hacer una sugerencia en cuanto a la manera de llenarlo. Si siguen este juego durante tres semanas, se van a acostumbrar a él, y puede ser una manera divertida de estimular las expresiones de amor en su matrimonio.

Un esposo me dijo:

—No me gusta ese juego del tanque de amor. Lo jugué con mi esposa. Yo llegaba a casa y le decía: "En una escala de cero a diez, ¿a qué nivel está tu tanque esta tarde?" Ella me decía: "Anda por el siete". Yo le preguntaba entonces: "¿Qué puedo hacer para ayudarte a llenarlo?" Y ella me respondía: "Lo más fabuloso que podrías hacer por mí esta tarde, es lavar la ropa". Y lo le contestaba: "¿Amar y lavar ropa? No lo entiendo".

Yo le dije:

—Ese es el problema. Tal vez no comprenda el lenguaje de amor de su esposa. ¿Cuál es su lenguaje primario en el amor?»

Él me respondió sin titubear:

—El toque físico, y en especial, la parte sexual del matrimonio.

—Escúcheme detenidamente —le dije—. El amor que usted siente cuando su esposa le expresa su amor por medio del contacto físico, es el mismo amor que su esposa siente cuando usted lava la ropa.

—Entonces, que me traigan la ropa sucia —gritó—. Voy a lavar la ropa todas las tardes, si eso es lo que la hace sentir tan bien.

Dicho sea de paso, si aún no ha descubierto su lenguaje primario en el amor, mantenga un historial de los movimientos en el juego de medir el tanque. Cuando su esposa le diga: «¿Qué puedo hacer para ayudarte a llenar tu tanque?», lo más probable es que sus sugerencias se centren alrededor de su lenguaje primario en el amor. Tal vez le pida cosas que tengan que ver con los cinco lenguajes, pero va a hacer más peticiones que se centren en el primario. También podría hacer el perfil del Lenguaje del amor que aparece al final de este libro. Observe que también hay un perfil para su esposa.

Tal vez usted esté diciendo en su mente lo mismo que me dijeron a mí Raymond y Helen en Zion, Illinois. «Doctor Chapman, todo eso suena estupendo y maravilloso, pero ¿y si el lenguaje de amor de su cónyuge es algo que a usted no le sale de manera natural?»

Voy a explicar mi respuesta en el capítulo 10.

Palabras de afirmación

Regalos

Tiempo de calidad

Actos de servicio

Toque físico

El amor es una *decisión*

¿CÓMO VAMOS A HABLAR EN EL LENGUAJE DE AMOR DEL OTRO, CUANDO estamos llenos de dolor, ira y resentimientos por los fallos del pasado? La respuesta a esa pregunta se encuentra en la naturaleza esencial de nuestra humanidad. Somos criaturas con poder de decisión. Eso significa que tenemos la capacidad de tomar decisiones poco satisfactorias, cosa que todos hemos hecho. Hemos dicho palabras de crítica, y hemos hecho cosas que han herido a otros. No nos sentimos orgullosos de esas decisiones, aunque en el momento de tomarlas hayan parecido estar justificadas. Las malas decisiones del pasado no quieren decir que las tengamos que repetir en el futuro. En lugar de repetirlas, podemos decir: «Lo siento. Sé que te he herido, pero me gustaría hacer que el futuro sea distinto. Me gustaría amarte en tu propio lenguaje. Me gustaría satisfacer tus necesidades». He visto matrimonios que han sido rescatados del divorcio cuando la pareja ha tomado la decisión de amar.

El amor no borra el pasado, pero hace que el futuro sea distinto. Cuando escogemos expresiones activas de amor manifestadas en el lenguaje primario de nuestro cónyuge en el amor, creamos un clima emocional en el cual podremos enfrentarnos a nuestros conflictos y fallos del pasado.

Tenía a Brent en mi oficina, con el rostro impávido y sin manifestar sentimiento alguno. No había llegado por iniciativa propia, sino porque yo se lo había pedido. Una semana antes, su esposa Becky había estado sentada en aquella misma silla, llorando sin consuelo. Entre sus ataques de llanto, se las arregló para decirme que Brent le había manifestado que ya no la amaba, y que se iba a marchar. Estaba destruida.

Cuando recuperó la compostura, dijo: «Ambos hemos trabajado muy duro en los últimos dos o tres años. Sé que no hemos estado pasando tanto tiempo juntos como antes, pero pensaba que estábamos trabajando por una meta común. No puedo creer lo que está diciendo. Siempre ha sido una persona bondadosa y afectuosa. Es un gran padre con nuestros hijos». Y continuó: «¿Cómo es posible que nos haga esto?».

Yo la escuché mientras ella me describía sus doce años de matrimonio. Era una historia que había escuchado muchas veces ya. Tuvieron un noviazgo emocionante, se casaron en la cima de su enamoramiento, tuvieron los ajustes típicos en los primeros tiempos de su matrimonio y se lanzaron a la búsqueda del sueño estadounidense. A su tiempo, bajaron de la cima emocional del enamoramiento, pero ninguno de los dos aprendió a hablar lo suficiente el lenguaje del otro en el amor. Ella había vivido con un tanque de amor solo medio lleno durante varios años, pero había estado recibiendo suficientes manifestaciones de amor para pensar que todo iba bien. Sin embargo, su tanque de amor estaba ya vacío.

Yo le dije que vería si Brent quería hablar conmigo. A Brent le dije por teléfono: «Como usted sabe, Becky vino a verme y me habló de su batalla con lo que está sucediendo en su matrimonio. Quiero ayudarla, pero para poder hacerlo, necesito saber lo que usted está pensando».

Él aceptó sin titubear, y ahora estaba allí sentado en mi oficina. Su aspecto externo mostraba un contraste total con el de Becky. Ella había estado llorando inconsolablemente, pero él se mantenía impávido. Sin embargo, tuve la impresión de que el llanto de él se había producido semanas, o tal vez meses antes, y había sido un llanto interno. La historia que él me contó confirmó mi corazonada.

«Sencillamente, ya no la amo», me dijo. «Hace mucho tiempo que no la amo. No la quiero herir, pero no hay cercanía entre nosotros. Nuestra relación se ha vuelto vacía. Ya no disfruto cuando estoy con ella. No sé lo que sucedió. Quisiera que las cosas fueran distintas, pero no siento nada por ella».

Brent estaba pensando y sintiendo lo mismo que han pensado y sentido centenares de miles de esposos a lo largo de los años. Es ese estado mental de «ya no la amo» que les da a los hombres la libertad emocional que necesitan para buscar el amor en otra persona. Lo mismo sucede con las esposas que usan esta misma excusa.

Comprendí a Brent, porque yo mismo he pasado por eso. Son miles de hombres y mujeres los que han pasado por esa situación: se han sentido emocionalmente vacíos, deseosos de hacer lo que sea correcto, sin querer herir a nadie, pero empujados por sus necesidades emocionales a buscar el amor fuera del matrimonio. Por fortuna, yo había descubierto en los primeros años de mi propio matrimonio la diferencia entre el «enamoramiento» y la «necesidad emocional» de sentirse amado. En nuestra sociedad, son mayoría los que no han aprendido aún esta diferencia. Las películas, las novelas y las revistas del corazón han entretejido estos dos amores, aumentando más aun nuestra confusión, a pesar de que en realidad son bien distintos.

El enamoramiento, del cual hablamos en el capítulo 3, se encuentra en el nivel de los instintos. No es premeditado; simplemente, aparece en el contexto normal de la relación entre los dos sexos. Se puede fomentar o apagar, pero no surge por una decisión consciente. Dura poco (por lo general, dos años o menos) y parece tener en la humanidad la misma función que el llamado amoroso del ganso canadiense.

El enamoramiento satisface de manera temporal la necesidad emocional de amor que tiene la persona. Nos da la sensación de que alguien se interesa en nosotros; que alguien nos admira y nos valora. Nuestras emociones se elevan con el pensamiento de que otra persona nos ve como lo más importante en su vida; que está dispuesta a dedicar su tiempo y sus energías de manera exclusiva a nuestra relación. Durante un breve período, cualquiera que sea su duración, queda satisfecha nuestra necesidad emocional de amor. Nuestro tanque está lleno; podemos conquistar el mundo. No hay nada imposible. En el caso de muchos, es la primera vez que han vivido con el tanque emocional lleno, y se sienten eufóricos.

Sin embargo, con el tiempo regresamos de esa cima natural al mundo real. Si nuestro cónyuge ha aprendido a hablar nuestro lenguaje primario en el amor, nuestra necesidad de amor va a seguir siendo satisfecha. En cambio, si no habla nuestro lenguaje de amor, nuestro tanque se va a ir agotando lentamente y dejaremos de sentirnos amados. Decididamente, la satisfacción de esa necesidad en nuestro cónyuge es una decisión. Si aprendo el lenguaje emocional del amor que habla mi esposa, y lo hablo con frecuencia, ella se va a seguir sintiendo amada. Cuando regrese de la obsesión que es el enamoramiento, raras veces lo va a echar de menos, porque su tanque de amor emocional va a seguir lleno. En cambio, si yo no he aprendido su lenguaje primario en el amor, o si he decidido que no lo voy a hablar, cuando ella descienda de sus alturas emocionales, va a tener el anhelo natural de satisfacer una necesidad emocional insatisfecha. Al cabo de algunos años de vivir con el tanque vacío, es muy probable que se «enamore» de otra persona y comience de nuevo el ciclo.

La satisfacción de la necesidad de amor de mi esposa es una decisión que yo tomo cada día. Si conozco su lenguaje primario en el amor, y me decido a hablarlo, sus necesidades emocionales más profundas quedarán satisfechas y ella se sentirá segura en cuanto a mi amor. Si ella hace lo mismo por mí, mis necesidades emocionales quedarán satisfechas, y ambos viviremos con el tanque lleno. En un estado de contentamiento emocional, ambos podremos entregar nuestras energías creativas a muchos proyectos sanos ajenos al matrimonio, al mismo tiempo que haremos que ese matrimonio siga siendo emocionante y que su crecimiento continúe.

Con todo esto en la mente, volví a mirar al rostro impávido de Brent y me pregunté si lo podría ayudar. En mi corazón, sabía que lo más probable es que ya estuviera involucrado en otro «enamoramiento». Me pregunté si se encontraría en las etapas iniciales, o en su punto más alto. Pocos hombres que sufren a causa de un tanque de amor emocional vacío dejan su matrimonio, mientras no tienen la posibilidad de satisfacer esa necesidad en algún otro lugar.

Brent fue sincero y me reveló que había estado enamorado de otra persona durante varios meses. Había tenido la esperanza de que aquellos sentimientos desaparecieran y que pudiera arreglar las cosas con su esposa. Sin embargo, las cosas en el hogar habían empeorado, mientras que su amor por la otra mujer había aumentado. No se podía imaginar ya la vida sin su nueva amante.

Yo me compadecí de Brent por aquel dilema. Era sincero en cuanto a no querer herir a su esposa o a sus hijos, pero al mismo tiempo, sentía que él merecía ser feliz en la vida. Le dije cuáles eran las estadísticas sobre los segundos matrimonios (el sesenta por ciento acaban en un divorcio). Se sorprendió al oírlo, pero estaba seguro de que él superaría esas posibilidades. Le hablé sobre las investigaciones acerca de los efectos que tiene el divorcio en los hijos, pero estaba convencido de que podía seguir siendo un buen padre para sus hijos, y que ellos superarían el trauma del divorcio. Le hablé de los temas que desarrollo en este libro y le expliqué la diferencia entre la experiencia del enamoramiento y la profunda necesidad emocional de sentirse amado. Le expliqué los cinco lenguajes del amor y lo animé a darle otra oportunidad a su matrimonio. Mientras hacía todo esto, sabía que mi enfoque intelectual y lógico del matrimonio, comparado con la cima emocional en la que él se encontraba, era como enfrentarse a un arma automática con una pistola de municiones. Él me expresó su agradecimiento por mi preocupación y me pidió que hiciera cuanto pudiera por ayudar a Becky. Sin embargo, me aseguró que no veía esperanza alguna para su matrimonio.

Un mes más tarde, recibí una llamada de él. Me dijo que quería volver a hablar conmigo. Esta vez, cuando entró a mi oficina, se hallaba evidentemente perturbado. No era el hombre sereno y tranquilo que había visto antes. Su amante había comenzado a descender de su cima emocional, y estaba observando en él cosas que no le gustaban. Se estaba retirando de su relación, y él se sentía destrozado. Se le aguaron los ojos mientras me hablaba de lo mucho que ella significaba para él, y de lo insoportable que era experimentar su rechazo.

Lo escuché con compasión durante una hora, antes que por fin me pidiera un consejo. Le dije lo mucho que lo compadecía por su dolor, y le indiqué que estaba experimentando el dolor emocional natural de una pérdida y que ese dolor no desaparecería de la noche a la mañana. Sin embargo, le expliqué que aquella experiencia era inevitable. Le recordé la naturaleza temporal del «enamoramiento»; que tarde o temprano, descendemos de las alturas al mundo real. Hay quienes pierden el enamoramiento antes de casarse; otros, después de casarse. Él estuvo de acuerdo en que era mejor ahora que después.

Al cabo de cierto tiempo, le sugerí que tal vez aquella crisis fuera un buen momento para que tanto él como su esposa buscaran consejería matrimonial. Le recordé que el amor emocional verdadero y que perdura es una decisión, y que ese amor emocional podía renacer en su matrimonio, si él y su esposa aprendían a amarse mutuamente en los lenguajes de amor correctos. Brent aceptó la consejería matrimonial y, nueve meses más tarde, él y Becky salieron de mi oficina con un matrimonio que había vuelto a nacer. Cuando vi a Brent tres años más tarde, me dijo que tenía un matrimonio magnífico, y me dio las gracias por ayudarlo en un momento tan decisivo de su vida. Me dijo que el dolor por la pérdida de su amante había seguido por más de dos años. Sonrió y me dijo: «Mi tanque nunca había estado tan lleno, y Becky es la mujer más feliz que usted podría encontrar jamás».

Por fortuna, Brent se pudo beneficiar de lo que yo llamo el desequilibrio del enamoramiento. Es decir, que casi nunca las dos personas se enamoran en el mismo día, y casi nunca desaparece su enamoramiento en el mismo día. No hace falta ser un experto en ciencias sociales para descubrir esa verdad. Basta con escuchar los cantos del género «country y western». Sucedió que la amante de Brent salió de su enamoramiento en el momento más oportuno.

Durante los nueve meses que estuve aconsejando a Brent y Becky, resolvimos numerosos conflictos que ellos no habían resuelto nunca antes. Pero la clave de la renovación de su matrimonio fue el descubrimiento mutuo de sus lenguajes primarios en el amor y la decisión de hablarlo con frecuencia.

Permítame regresar a la pregunta que hice en el capítulo 9. «¿Y si el lenguaje de su cónyuge en el amor es algo que no se le da a usted de manera natural?» Muchas veces me hacen esta pregunta en mis seminarios para matrimonios, y mi respuesta es: «¿Y qué?».

El lenguaje de mi esposa en el amor es el de los «actos de servicio». Una de las cosas que yo acostumbro hacer por ella como acto de amor es pasarle la aspiradora al piso. ¿Cree usted que eso me viene de manera natural? Mi madre solía obligarme a pasar la aspiradora. Durante todos mis años de escuela media y secundaria, no podía salir a jugar pelota los sábados mientras no terminara de pasarle la aspiradora a toda la casa. En aquellos días, me decía a mí mismo: «Cuando salga de esta casa, hay una cosa que no voy a hacer nunca más: no le voy a pasar la aspiradora a ninguna casa más. Me voy a buscar una esposa que lo haga».

Sin embargo, ahora le doy aspiradora a nuestra casa, y lo hago regularmente. Y solo hay una razón para hacerlo. El amor. Nadie me podría pagar suficiente dinero por aspirar una casa, pero yo lo hago por amor. Vea: cuando una acción no se le dé a usted de manera natural, será una expresión mayor aun de amor. Mi esposa sabe que cuando le estoy pasando la aspiradora a la casa, no se trata de otra cosa más que un amor puro, no adulterado, al ciento por ciento, y me atribuye los méritos por todo aquello.

Tal vez alguien dirá: «Doctor Chapman, eso es otra cosa. Yo sé que el lenguaje de mi cónyuge en el amor es el contacto físico, y a mí no me interesa ese contacto. Nunca vi que mis padres se abrazaran. Tampoco me abrazaron a mí, doctor Chapman. Sencillamente, no soy de los que tocan a los demás. ¿Qué puedo hacer?».

¿Tiene dos manos? ¿Las puede unir? Imagínese ahora que tiene a su esposa en el medio, y atráigala hacia sí. Le apuesto que si la abraza tres mil veces, se va a comenzar a sentir más cómodo. Pero en última instancia, la cuestión aquí no es que usted se sienta cómodo. Estamos hablando del amor, y amar es algo que uno hace por alguien; no por sí mismo. La mayoría de nosotros hacemos todos los días ciertas cosas que no se nos dan de manera «natural». Para algunos, eso significa levantarse de la cama por la mañana. Vamos contra nuestros sentimientos, y salimos de la cama. ¿Por qué? Porque creemos que hay algo que hacer en el día, y que vale la pena hacerlo. Y normalmente, antes que termine el día, nos sentimos bien por habernos levantado. Nuestras acciones precedieron a nuestras emociones.

Lo mismo sucede con el amor. Descubrimos el lenguaje primario de nuestra esposa en el amor, y decidimos hablarlo, tanto si se nos da de manera natural, como si no. No estamos reclamando unos sentimientos cálidos y llenos de emoción. Sencillamente, estamos decidiendo hacer aquello para beneficio de ella. Queremos satisfacer las necesidades emocionales de nuestra esposa, y salimos de nosotros mismos para hablar su lenguaje en el amor. Cuando lo hacemos, su tanque emocional de amor se va llenando, y creamos la posibilidad de que ella nos corresponda y hable nuestro lenguaje. Cuando ella lo haga, nuestras emociones regresarán y nuestro tanque de amor se comenzará a llenar.

Amar es tomar una decisión. Y cualquiera de los dos cónyuges puede comenzar ese proceso hoy mismo.

Palabras de afirmación

Regalos

Tiempo de calidad

Actos de servicio

Toque físico

El amor lo *transforma* todo

EL AMOR NO ES NUESTRA ÚNICA NECESIDAD EMOCIONAL. LOS PSICÓLOGOS han observado que, entre nuestras necesidades básicas se encuentran la necesidad de seguridad, de sentirse valorado y de ser importante para alguien. Sin embargo, el amor se relaciona con todas estas necesidades también.

Si yo me siento amado por mi esposa, puedo descansar, porque sé que ella me ama y no me va a hacer mal alguno. Me siento seguro en su presencia. Tal vez me tenga que enfrentar a muchas incertidumbres en mi profesión. Tal vez tenga enemigos en otros aspectos de mi vida, pero con mi esposa me siento seguro.

Mi sentido de dignidad personal es alimentado por el hecho de que mi esposa me ama. Al fin y al cabo, si me ama, será porque soy digno de ser amado. Tal vez mis padres me hayan dado mensajes negativos o mezclados en cuanto a mi valor como persona, pero mi esposa me conoce como adulto y me ama. Su amor levanta mi autoestima.

La necesidad de ser importante para alguien es la fuerza emocional que se encuentra tras gran parte de nuestra conducta. Lo que impulsa la vida es el anhelo de triunfar. Queremos que nuestra vida cuente para algo. Tenemos nuestra propia idea de lo que significa ser importante para alguien, y trabajamos fuertemente para alcanzar nuestras metas. El hecho de sentirnos amados por nuestro cónyuge nos hace sentir más importantes. Deducimos que, si alguien nos ama, será porque debemos ser importantes para ese alguien.

Soy importante, porque me encuentro en la cima misma del orden creado. Tengo capacidad para pensar de manera abstracta, comunicar mis pensamientos por medio de palabras y tomar decisiones. A través de las palabras impresas o grabadas, me puedo beneficiar con los pensamientos de quienes me han precedido. Puedo aprovechar la experiencia de otras personas, aunque hayan vivido en una era y una cultura distintas. Experimento la muerte de parientes y amigos y siento que hay una existencia más allá de la material. Descubro que, en todas las culturas, los seres humanos creen en un mundo espiritual. Mi corazón me dice que esto es cierto, aunque mi mente, adiestrada en la observación científica, suscite preguntas críticas.

Yo soy importante. Mi vida tiene sentido. Existo por un propósito más elevado. Quiero creerlo, pero tal vez no me sienta importante para nadie, mientras no haya alguien que me exprese su amor. Cuando mi esposa invierte con amor su tiempo, energía y esfuerzos en mí, creo que soy importante. Sin amor, tal vez me pase toda la vida en busca de ser importante, de ese valor personal y de esa seguridad. Cuando experimento el amor, ese amor causa un impacto positivo en todas mis necesidades. Soy liberado para desarrollar mi potencial. Me siento más seguro de mi valor como persona, y ahora puedo lanzar mis esfuerzos hacia fuera, en lugar de estar obsesionado con mis propias necesidades. El verdadero amor siempre libera.

En el contexto del matrimonio, si no nos sentimos amados, vemos nuestras diferencias más grandes de lo que son. Nos llegamos a ver el uno al otro como una amenaza a la felicidad propia. Luchamos por valer como personas y por ser importantes para alguien, y el matrimonio se convierte en campo de batalla, en lugar de ser refugio seguro.

El amor no será la respuesta a todo, pero crea un clima de seguridad en el cual podemos buscar respuestas a las cosas que nos incomodan. En la seguridad del amor, la pareja habla de sus diferencias sin lanzarse condenaciones. Así se pueden resolver los conflictos. Dos personas que son distintas pueden aprender a vivir juntas en armonía. Descubrimos la manera de hacer aflorar lo mejor que hay en el otro. Esa es la recompensa del amor.

La decisión de amar a su cónyuge tiene un potencial inmenso. Cuando aprendemos su lenguaje primario en el amor, estamos convirtiendo ese potencial en realidad. Es cierto que el amor es «el que lo cambia todo». Por lo menos, así fue en el caso de Jean y Norm.

Habían viajado durante tres horas para llegar a mi oficina. Era evidente que Norm no quería estar allí. Jean le había torcido el brazo con la amenaza de abandonarlo. (No sugiero que se hagan las cosas así, pero la gente no siempre conoce mis sugerencias antes de venir a verme). Llevaban treinta y cinco años de casados y nunca antes habían recibido consejería.

Fue Jean quien comenzó la conversación.

—Doctor Chapman, hay dos cosas que quiero que usted sepa desde el principio. En primer lugar, no tenemos ningún problema de dinero. Yo leí en una revista que el dinero es el mayor de los problemas en el matrimonio. Eso no es cierto en nuestro caso. Ambos hemos trabajado a lo largo de todos estos años, nuestra casa está pagada y los autos también. No tenemos problemas de dinero. En segundo lugar, quiero que sepa que no discutimos. Yo oigo hablar a mis amigas de las discusiones que tienen todo el tiempo. Nosotros nunca hemos discutido. No recuerdo la última vez que tuvimos una discusión. Ambos estamos de acuerdo en que discutir es algo inútil, así que no discutimos.

Como consejero, le agradecí a Jean que me abriera camino de esa forma. Sabía que ella iba a ir directo al grano. Era evidente que había pensado con todo cuidado su afirmación inicial. Quería asegurarse de que no nos empantanáramos en cosas que no eran problemas. Quería usar con sabiduría su hora.

Siguió.

—El problema es que yo ya no siento que mi esposo me manifieste amor alguno. Nuestra vida se ha vuelto una rutina. Nos levantamos por la mañana y nos vamos al trabajo. Por la tarde, él hace sus cosas y yo las mías. Por lo general cenamos juntos, pero no conversamos. Él ve la televisión mientras comemos. Después de la cena, él pasa por el baño del sótano, y después se queda dormido delante de la televisión hasta que yo le digo que es hora de irse a la cama. Ese es nuestro programa durante cinco días de la semana. El sábado, él juega al golf por la mañana, trabaja en el patio por la tarde y salimos por la noche a cenar con otra pareja. Les habla a ellos, pero cuando entramos al auto para volver a casa, se acaba la conversación. Una vez en casa, se pone a dormir delante de la televisión hasta que nos vamos a la cama. El domingo por la mañana, vamos a la iglesia. Siempre vamos a la iglesia los domingos por la mañana, doctor Chapman —recalcó.

»Después del culto —me dijo—, salimos a almorzar con algunos amigos. Cuando volvemos a casa, se queda dormido delante del televisor toda la tarde. Por lo general, regresamos a la iglesia el domingo por la noche, regresamos a casa, comemos rositas de maíz y nos vamos a acostar. Ese es nuestro programa de todas las semanas. Eso es todo lo que hay. Somos como dos compañeros de cuarto que vivieran en el mismo lugar. No sucede nada entre nosotros dos. No siento que él me esté dando amor alguno. No hay calor; no hay emoción. Está vacío; muerto. No creo poder seguir así por mucho tiempo.

Ya para entonces, Jean estaba llorando. Le alcancé un pañuelo de papel y miré a Norm. Su primer comentario fue:

—No la entiendo —después de una breve pausa, siguió hablando—. He hecho todo lo que sé hacer para demostrarle que la amo, en especial en estos dos o tres años últimos, puesto que ella se ha estado quejando tanto sobre esto. No hay nada que parezca ayudar. Haga lo que haga, ella se sigue quejando de que no se siente amada. Ya no sé qué más hacer.

Noté que Norm se sentía frustrado y exasperado. Le hice una pregunta:

—¿Qué ha estado haciendo usted para manifestarle a Jean su amor?

—Bueno, por ejemplo —me dijo—, yo vuelvo del trabajo antes que ella, así que comienzo a preparar la cena todas las tardes. Es más, si quiere saber la verdad, cuatro noches por semana tengo la cena casi lista cuando ella llega a casa. Después de la cena, lavo los platos tres noches por semana. La otra noche tengo una reunión, pero en las otras tres, lavo los platos después que terminamos de cenar. Yo soy el que le paso la aspiradora a toda la casa, porque ella tiene la espalda mala. Hago todo el trabajo del patio, porque ella es alérgica al polen. También doblo la ropa cuando sale de la secadora.

Así me siguió hablando de otras cosas que hacía por Jean. Cuando terminó, yo me estaba preguntando: «Bueno, pero y esta mujer, ¿qué hace?». Casi no le quedaba nada sin hacer.

Norm siguió hablando:

—Yo hago todas esas cosas para demostrarle que la amo, y aun así, ella viene y se sienta aquí a decirle a usted lo que me ha estado diciendo a mí durante dos o tres años: que no se siente amada. Ya no sé qué más puedo hacer por ella.

Cuando me volví de nuevo hacia Jean, ella me dijo:

—Doctor Chapman, todas esas cosas están muy bien, pero lo que quiero es que se siente en el sofá para conversar conmigo. Nunca hablamos. No hemos conversado en treinta años. Siempre está lavando los platos, pasando aspiradora o cortando el césped. Siempre está haciendo algo. Lo que quiero es que se siente conmigo en el sofá y me dedique algún tiempo; que me mire, y me hable acerca de nosotros dos y de nuestra vida.

Jean estaba llorando de nuevo. Era evidente que su lenguaje primario en el amor era el «tiempo de calidad». Estaba reclamando su atención. Quería que la tratara como una persona, y no como un objeto. Todas aquellas cosas que mantenían ocupado a Norm no bastaban para satisfacer sus necesidades emocionales. Al seguir hablando con Norm, descubrí que él tampoco se sentía amado, pero no quería hablar del asunto. Su lógica era:

—Si llevamos treinta y cinco años de casados, tenemos nuestras deudas pagadas y no discutimos, ¿qué más podemos esperar?

Esa era su posición. Le dije:

—¿Cómo sería la esposa ideal para usted? Si pudiera tener la esposa perfecta, ¿cómo sería ella?

Entonces fue cuando me miró por vez primera a los ojos y me preguntó:

—¿De veras quiere saberlo?

—Sí —le dije.

Se irguió en el sofá, cruzó los brazos sobre el pecho, esbozó una amplia sonrisa y me dijo:

—Yo he soñado con esto. La esposa perfecta sería la que llegara a la casa por la tarde y me preparara la cena. Yo estaría trabajando en el patio, y ella me llamaría para que entrara a cenar. Después de la cena, ella lavaría los platos. Es probable que yo la ayudara en algo, pero la responsabilidad sería suya. Además, me cosería los botones de la camisa cada vez que se le cayeran.

Jean no se pudo contener más. Se volvió hacia él y le dijo:

—No te creo. Tú mismo me dijiste que te gustaba cocinar.

—No me importa cocinar —le respondió Norm—, pero este hombre me preguntó cuál sería la mujer ideal.

No necesité ni una palabra más para saber cuál era el lenguaje de Norm para el amor: los «actos de servicio». ¿Por qué cree que él hacía todas aquellas cosas para Jean? Porque ese era su lenguaje en el amor. En su mente, esa era la forma en que se manifiesta amor: haciendo cosas por la persona amada. El problema estaba en que «hacer cosas» era algo que no se hallaba dentro del lenguaje primario de Jean. En lo emocional, no significaba para ella lo que habría significado para él, de haber sido ella la que hiciera cosas por él.

Cuando se hizo la luz en la mente de Norm, lo primero que dijo fue:

—¿Por qué nadie nos dijo esto hace treinta años? Yo habría podido sentarme en el sofá para conversar con ella quince minutos cada noche, en lugar de hacer todas esas cosas.

Entonces se volvió hacia Jean y le dijo:

—Por vez primera en mi vida, entiendo por fin lo que tú querías decir cuando afirmabas que no hablamos. Nunca lo había podido comprender. Yo creía que sí hablábamos. Siempre te preguntaba: "¿Qué tal dormiste?". Pensaba que estábamos hablando, pero ahora comprendo. Tú lo que quieres es que nos sentemos en el sofá quince minutos cada noche para mirarnos a los ojos y conversar. Ahora comprendo lo que quieres decir, y ahora también sé por qué es tan importante para ti. Es tu lenguaje emocional en el amor, y comenzaremos esta misma noche. Te voy a dar un cuarto de hora en el sofá todas las noches durante el resto de mi vida. Puedes estar segura.

Jean se volvió hacia él y le dijo:

—Eso sería como estar en el cielo, y no me importa prepararte la cena. Va a tener que ser más tarde que de ordinario, porque yo salgo del trabajo más tarde que tú, pero no me importa preparar la cena. Y me encantaría coserte los botones. Nunca los has dejado por suficiente tiempo para que yo los recoja. Voy a lavar los platos durante el resto de mi vida, si eso es lo que te hace sentirte amado.

Jean y Norm volvieron a su hogar y comenzaron a amarse mutuamente en los lenguajes de amor correctos. En menos de dos meses, estaban en su segunda luna de miel. Me llamaron desde las Bahamas para hablarme del cambio tan radical que se había producido en su matrimonio.

¿Es posible que el amor emocional vuelva a nacer en un matrimonio? Por supuesto que sí. La clave consiste en que aprenda el lenguaje primario de su cónyuge y tome la decisión de hablarlo.

Palabras de afirmación

Regalos

Tiempo de calidad

Actos de servicio

Toque físico

Amar a las personas *difíciles* de amar

Era un hermoso sábado del mes de septiembre. Mi esposa y yo íbamos atravesando a pie los jardines de Reynolda, disfrutando de la flora, que en parte había sido importada de distintos lugares del mundo. Estos jardines habían sido desarrollados originalmente por R. J. Reynolds, el magnate de la industria tabacalera, como parte de sus propiedades campestres. Ahora forman parte del recinto universitario de la universidad de Wake Forest. Acabábamos de pasar la rosaleda cuando vimos que Ann, una mujer a la que yo le había comenzado a dar consejería dos semanas atrás, se nos acercaba. Iba cabizbaja, mirando la senda adoquinada y parecía estar absorta en unos pensamientos profundos. Cuando yo la saludé, se sorprendió, pero levantó la vista y sonrió. Se la presenté a Karolyn e intercambiamos expresiones de cortesía. Entonces, sin introducción alguna, me hizo una de las preguntas más profundas que he oído jamás: «Doctor Chapman, ¿es posible amar a alguien a quien uno odia?».

Yo sabía que aquella pregunta nacía de unas profundas heridas, y que merecía una respuesta bien pensada. Sabía que la volvería a ver en algún momento de la semana siguiente en otra cita de consejería, así que le dije:

«Ann, esa es una de las preguntas que he oído que más hacen pensar. ¿Por qué no hablamos de eso la semana que viene?». Ella aceptó, así que Karolyn y yo seguimos nuestra caminata. Con todo, su pregunta no se nos iba de la mente. Más tarde, mientras íbamos en el auto rumbo a casa, la comentamos. Reflexionamos sobre los primeros tiempos de nuestro matrimonio y recordamos que muchas veces habíamos tenido sentimientos de odio. Las palabras de condenación que nos habíamos lanzado mutuamente habían estimulado nuestro dolor, y tras el dolor, la ira. Y la ira contenida se convierte en odio. ¿Qué fue lo que cambió las cosas en nuestra situación? Ambos sabíamos que era la decisión de amarnos. Nos habíamos dado cuenta de que si seguíamos con nuestro esquema de exigencias y condenaciones, destruiríamos nuestro matrimonio. Por fortuna, durante un período de cerca de un año, habíamos aprendido a hablar de nuestras diferencias sin condenarnos mutuamente; de cómo podíamos tomar decisiones sin destruir nuestra unidad; de cómo hacer sugerencias constructivas sin ser exigentes, y por último de cómo hablar cada cual el lenguaje primario del otro en el amor. (Muchas de estas ideas se hallan recogidas en un libro anterior llamado *Toward a Growing Marriage*, en inglés, por Moody Publishers). Nuestra decisión de amar fue hecha en medio de unos sentimientos mutuos negativos. Cuando comenzamos a hablar cada cual en el lenguaje primario del otro, los sentimientos negativos de enojo y de odio fueron disminuyendo.

Con todo, nuestra situación era distinta a la de Ann. Karolyn y yo habíamos estado dispuestos los dos a aprender y crecer. Y yo sabía que el esposo de Ann no lo estaba. Ella me había dicho la semana anterior que le había tenido que suplicar que fuera a recibir consejería. Le había rogado que leyera un libro o escuchara una cinta grabada acerca del matrimonio, pero él rechazó todos los esfuerzos de ella por lograr un crecimiento. Según ella, la actitud de él era: «Yo no tengo ningún problema. Tú eres la que tienes problemas». En su mente, él estaba en lo cierto, mientras que ella estaba equivocada; así de sencillo. El amor que ella sentía por él había ido muriendo a lo largo de los años a causa de sus críticas y condenaciones constantes. Después de diez años de matrimonio, se le había agotado toda la energía emocional y su autoestima estaba casi destruida. ¿Había alguna esperanza para el matrimonio de Ann? ¿Podría ella amar a un esposo difícil de amar? ¿Reaccionaría él alguna vez demostrándole amor a ella?

Yo sabía que Ann era una persona profundamente religiosa y que tenía la costumbre de asistir a la iglesia. Me imaginé que tal vez su única esperanza de hacer que sobreviviera su matrimonio se hallaba en su fe. Al día siguiente, pensando en ella, comencé a leer el relato de Lucas acerca de la vida de Cristo. Siempre he admirado los escritos de Lucas, porque era médico y les prestaba atención a los detalles, y en el siglo primero escribió un relato ordenado de las enseñanzas y el estilo de vida de Jesús de Nazaret. En el sermón que muchos consideran el más grandioso de Jesús, leí las siguientes palabras, que considero el desafío mayor del amor.

> *Pero a vosotros los que oís, os digo: Amad a vuestros enemigos, haced bien a los que os aborrecen; bendecid a los que os maldicen, y orad por los que os calumnian... Y como queréis que hagan los hombres con vosotros, así también haced vosotros con ellos. Porque si amáis a los que os aman, ¿qué mérito tenéis? Porque también los pecadores aman a los que los aman*[1].

Me pareció que ese desafío tan profundo, escrito hace casi dos mil años, podría ser la orientación que Ann andaba buscando, pero ¿podría hacer ella algo así? ¿Habría alguien que lo pudiera hacer? ¿Es posible que lleguemos a amar a un cónyuge que se ha convertido en nuestro enemigo? ¿Es posible amar a alguien que nos ha maldecido, nos ha maltratado, y ha expresado sentimientos de desprecio y de odio hacia nosotros? Y si ella podía hacerlo, ¿recibiría algo a cambio? ¿Alguna vez su esposo cambiaría y comenzaría a manifestarle amor e interés en ella? Estas otras palabras, tomadas también del mismo sermón antiguo de Jesús, me dejaron perplejo: «Dad, y se os dará; medida buena, apretada, remecida y rebosando darán en vuestro regazo; porque con la misma medida con que medís, os volverán a medir»[2].

Aquel principio tan antiguo de amar a la persona que no parece digna de amar, ¿podría funcionar en un matrimonio tan dilapidado ya como el de Ann? Decidí hacer un experimento. Tomaría como hipótesis la idea de que si Ann podía aprender el lenguaje primario de su esposo en el amor y hablarlo durante un período de tiempo para que la necesidad emocional de amor de él quedara satisfecha, él terminaría correspondiéndole y empezaría a manifestarle amor. Me preguntaba si aquello funcionaría.

A la semana siguiente, me reuní con Ann y la volví a escuchar mientras ella hacía un repaso de los horrores de su matrimonio. Al final de su sinopsis, repitió la pregunta que me había hecho en los jardines de Reynolda. Esta vez la presentó en forma de afirmación:

—Doctor Chapman, realmente no sé si alguna vez lo podré volver a amar, después de todo lo que me ha hecho.

—¿Ha hablado de su situación con alguna de sus amigas? —le pregunté.

—Con dos de las más íntimas —me dijo—, y un poco con algunas personas más.

—¿Y cuál fue la respuesta de esas personas?

—Rompe —me dijo—. Todos me dicen que rompa el matrimonio; que él no va a cambiar nunca, y que todo lo que estoy haciendo es prolongar la agonía. Sin embargo, doctor Chapman, no me parece que pueda hacerlo. Tal vez deba, pero no puedo creer que sea eso lo apropiado.

—A mí me parece que usted se siente atrapada entre sus creencias religiosas y morales, que le dicen que es incorrecto romper el matrimonio, y su dolor emocional, que le dice que romperlo es la única forma de sobrevivir —le dije.

—Exacto, doctor Chapman. Así es precisamente como me siento. Y no sé qué hacer.

—Siento una profunda compasión por su lucha —le dije—. Usted se encuentra en una situación muy difícil. Quisiera poderle ofrecer una respuesta fácil. Lamentablemente, no puedo. Lo más probable es que ambas alternativas mencionadas por usted, romper el matrimonio o quedarse en él, le causen grandes sufrimientos. Ahora bien, tengo una idea para antes que tome esa decisión. No estoy seguro de que vaya a dar resultado, pero me agradaría que la intentara. Por lo que me ha dicho, sé que su fe religiosa es importante para usted, y que tiene un gran respeto por las enseñanzas de Jesús.

Ella asintió. Yo seguí hablando:

»Quiero que lea algo que Jesús dijo en una ocasión, y que me parece que tiene alguna aplicación a su matrimonio.

Lo leí lentamente y con deliberación.

»"Pero a vosotros los que oís, os digo: Amad a vuestros enemigos, haced bien a los que os aborrecen; bendecid a los que os maldicen, y orad por los que os calumnian...Y como queréis que hagan los hombres con vosotros, así también haced vosotros con ellos. Porque si amáis a los que os aman, ¿qué mérito tenéis? Porque también los pecadores aman a los que los aman".

»¿Le recuerdan estas palabras a su esposo? ¿La ha tratado él como enemiga en lugar de tratarla como amiga? —le pregunté.

Ella asintió nuevamente con la cabeza.

—¿Alguna vez la ha maldecido? —le pregunté.

—Muchas veces.

—¿La ha maltratado alguna vez?

—Con frecuencia.

—¿Y le ha dicho que la odia?

—Sí.

—Ann, si usted está dispuesta, me gustaría hacer un experimento. Me gustaría ver qué sucede si le aplicamos este principio a su matrimonio. Déjeme explicarle lo que quiero decir.

Entonces le expliqué el concepto del tanque emocional y el hecho de que cuando el nivel del tanque está bajo, como estaba el de ella, no tenemos sentimientos amorosos hacia nuestro cónyuge, sino que solo sentimos vacío y dolor. Puesto que el amor es una necesidad emocional tan profunda, tal vez su ausencia sea nuestra angustia emocional más fuerte. Le dije que si podíamos aprender cada cual a hablar el lenguaje primario del otro en el amor, esa necesidad emocional podía quedar satisfecha, y podríamos generar de nuevo sentimientos positivos.

—¿Tiene sentido para usted esto que le he dicho? —le pregunté.

—Doctor Chapman, usted acaba de describir mi vida. Nunca antes lo había visto con tanta claridad. Nosotros estábamos enamorados antes de casarnos, pero poco después de la boda descendimos de las alturas y nunca aprendimos a hablar el lenguaje de amor del otro. Mi tanque lleva años vacío, y estoy segura de que el suyo también. Doctor Chapman, si yo hubiera comprendido antes ese concepto, nada de esto habría sucedido.

—No podemos regresar al pasado, Ann —le dije—. Todo lo que podemos hacer es tratar de cambiar el futuro. Me gustaría proponerle un experimento de seis meses.

—Estoy dispuesta a probar lo que sea —me dijo.

Me agradó su espíritu positivo, pero no estaba seguro de que hubiera comprendido lo difícil que iba a ser el experimento.

—Comencemos por definir nuestro objetivo —le dije—. Si en seis meses usted pudiera lograr lo que más anhela, ¿qué sería?

Ann se quedó sentada en silencio durante algún tiempo. Después dijo reflexivamente:

—Me gustaría ver que Glenn me ama de nuevo y lo manifiesta pasando tiempo conmigo. Me gustaría ver que hacemos cosas juntos, que vamos juntos a distintos lugares. Me gustaría sentir que mi mundo le interesa. Me gustaría ver que conversamos cuando salimos a cenar. Me gustaría que él me escuchara. Me gustaría sentir que él valora mis ideas. Me gustaría ver que hacemos viajes juntos y nos divertimos de nuevo. Me gustaría saber que él valora nuestro matrimonio más que ninguna otra cosa.

Hizo una pausa y después siguió:

»En cuanto a mí, me gustaría volver a tener sentimientos afectuosos y positivos hacia él. Me gustaría recuperar el respeto a él. Me gustaría sentirme orgullosa de él. En estos momentos no tengo esos sentimientos.

Yo escribía mientras Ann hablaba. Cuando terminó, leí en voz alta lo que ella había dicho.

—Me parece que es un objetivo bastante elevado —le dije—, pero, ¿es eso en realidad lo que usted quiere, Ann?

—En estos momentos parece un objetivo imposible, doctor Chapman —me contestó—, pero eso es lo que querría ver, más que ninguna otra cosa.

—Entonces, acordemos que este va a ser su objetivo —le dije—. Dentro de seis meses, quiero verlos a usted y a Glenn con este tipo de relación amorosa.

»Ahora, permítame sugerir una hipótesis. La razón de ser de nuestro experimento va a ser demostrar si la hipótesis es cierta o no. Supongamos que si usted pudiera hablar constantemente durante un período de seis meses el lenguaje primario de Glenn para el amor, en algún momento pudiera comenzar a satisfacer la necesidad emocional de amor que él tiene, y que a medida que se vaya llenando su tanque emocional, él comenzara a corresponderle con amor. Esa hipótesis está construida sobre la idea de que la necesidad emocional de amor es nuestra necesidad emocional más profunda, y cuando se satisface en nosotros, tendemos a reaccionar de manera positiva ante la persona que la está satisfaciendo.

Después seguí hablando:

»Usted comprende que esa hipótesis pone toda la iniciativa en sus manos. Glenn no está tratando de hacer que su matrimonio funcione. Usted sí. Esta hipótesis afirma que, si usted puede canalizar sus energías en la dirección correcta, hay una buena posibilidad de que Glenn termine correspondiéndole.

Leí la otra parte del sermón de Jesús recogida por Lucas, el médico.

»"Dad, y se os dará; medida buena, apretada, remecida y rebosando darán en vuestro regazo; porque con la misma medida con que medís, os volverán a medir".

»Según yo entiendo esas palabras, Jesús está proclamando un principio; no una forma de manipular a las personas. En general, si somos bondadosos y amorosos con la gente, ellos va a tender a ser también bondadosos y amorosos con nosotros. Eso no significa que podamos hacer bondadosa a una persona a base de ser bondadosos con ella. Somos libres en nuestra actuación. Por eso, podemos despreciar el amor, alejarnos de él, o incluso escupirle en la cara. No hay garantía alguna de que Glenn reaccione de forma positiva ante sus actos de amor. Solo podemos decir que hay una buena posibilidad de que lo haga.

(El consejero no puede predecir nunca con certeza absoluta la conducta de un determinado ser humano. A partir de las investigaciones y los estudios de la personalidad, lo que el consejero puede hacer solamente es predecir cuál es la reacción más probable de la persona ante una situación dada).

Después que estuvimos de acuerdo en cuanto a la hipótesis, le dije a Ann:

—Ahora, vamos a hablar de los lenguajes primarios de Glenn y de usted para el amor. Por lo que usted me ha dicho ya, entiendo que el tiempo de calidad podría ser su lenguaje primario en el amor. ¿Qué le parece?

—Eso creo, doctor Chapman. En los primeros tiempos, cuando pasábamos momentos juntos y Glenn me escuchaba, eran muchas las horas que pasábamos conversando y haciendo cosas juntos. Me sentía realmente amada. Más que nada, quisiera que pudiera volver esa parte de nuestro amor. Cuando pasamos tiempo juntos, siento que realmente me quiere, pero cuando está haciendo siempre otras cosas, nunca tiene tiempo para hablar ni para hacer nada por mí, me siento como que los negocios y otras actividades son más importantes que nuestra relación.

—Y, ¿cuál le parece que sea el lenguaje principal de amor de Glenn? —le pregunté.

—Me parece que es el contacto físico, y en especial la parte sexual del matrimonio. Sé que cuando me sentía más amada por él y estábamos más activos sexualmente, él tenía una actitud distinta. Me parece que ese es su lenguaje primario en el amor, doctor Chapman».

—¿Se queja alguna vez de la forma en que usted le habla?

—Bueno, dice que yo me paso la vida quejándome. También dice que no lo apoyo, y que siempre estoy en contra de sus ideas.

—Entonces, supongamos que el "toque físico" sea su lenguaje primario en el amor, y las "palabras de afirmación" sean su lenguaje secundario.

La razón por la que sugiero el segundo, es que si se queja de unas palabras negativas, es de suponer que las palabras positivas sean importantes para él.

»Ahora, permítame sugerirle un plan para poner a prueba nuestra hipótesis. Qué le parece si va a casa y le dice a Glenn: "He estado pensando sobre nosotros y he decidido que me gustaría ser una esposa mejor. Si tienes sugerencias sobre cómo yo podría ser una esposa mejor, quiero que sepas que estoy dispuesta a escucharlas. Me las puedes decir ahora, o lo puedes pensar y decirme después lo que piensas, pero de veras que quiero esforzarme por ser una esposa mejor". Cualquiera que sea su reacción, negativa o positiva, acéptela solo como punto de información. Esa declaración inicial le hará saber a él que algo distinto está a punto de sucederle a su relación.

»Entonces, basándose en su suposición de que el lenguaje primario de él es el "toque físico" y en mi sugerencia de que su lenguaje secundario podría ser el de las "palabras de afirmación", centre su atención en esos dos aspectos durante un mes.

»Si Glenn se le presenta con una sugerencia sobre cómo podría usted convertirse en una esposa mejor, acepte esa información e incorpórela a sus planes. Busque cosas positivas en la vida de él, y dele afirmación verbal acerca de ellas. Mientras tanto, suspenda todas las quejas verbales. Durante este mes, si se quiere quejar de algo, escríbalo en su cuaderno personal de anotaciones, en lugar de decirle algo a Glenn.

»Comience a tomar más iniciativa en cuanto al contacto físico y a la participación en la vida sexual. Sorpréndalo actuando por iniciativa propia, en lugar de limitarse a responder a sus avances. Fíjese la meta de tener relaciones sexuales por lo menos una vez a la semana en las dos primeras semanas, y dos veces por semana en las dos siguientes.

Ann me había dicho que ella y Glenn habían tenido relaciones sexuales solo una o dos veces en los últimos seis meses. Consideré que este plan los sacaría de la rutina con bastante rapidez.

—Doctor Chapman, eso va a ser difícil —me dijo Ann—. A mí se me hace difícil estar sexualmente predispuesta con respecto a él, cuando él se pasa todo el tiempo ignorándome. En nuestros encuentros sexuales, me he sentido más usada que amada. Él actúa como si yo fuera totalmente insignificante todo el resto del tiempo, y después quiere meterse en la cama y usar mi cuerpo. A mí me ha ofendido esto, y me imagino que esa sea la razón por la que no hemos tenido relaciones sexuales con mucha frecuencia en los últimos años.

—Su reacción ha sido natural y normal —le aseguré—. En la mayoría de las esposas, el deseo de intimidad sexual con su esposo brota del hecho de que se sienten amadas por él. Si se sienten amadas, desean la intimidad sexual. Si no se sienten amada, lo más probable es que se sientan usadas dentro del contexto sexual. Por eso, amar a alguien que no nos ama es sumamente difícil. Va contra nuestras tendencias naturales. Es probable que usted tenga que apoyarse fuertemente en su fe en Dios para hacer esto. Tal vez le ayude leer de nuevo el sermón de Jesús acerca del amor a los enemigos y a los que nos odian o nos utilizan. Y después, pídale a Dios que la ayude a practicar lo enseñado por Jesús.

Me di cuenta de que Ann estaba comprendiendo lo que yo decía. Estaba asintiendo ligeramente con la cabeza. Sus ojos me decían que tenía muchas preguntas que hacer.

—Pero doctor Chapman, ¿no es hipocresía expresar amor sexual cuando se tienen unos sentimientos tan negativos hacia la persona?

—Tal vez nos ayudaría distinguir entre el amor como sentimiento, y el amor como acción —le dije—. Si usted afirma tener unos sentimientos que no tiene, eso es hipocresía, y este tipo de comunicación falsa no sirve para crear unas relaciones íntimas. En cambio, si usted expresa un acto de amor destinado al beneficio o el placer de la otra persona, solo se trata de una decisión. Usted no está afirmando que esa acción brote de un fuerte lazo emocional. Solo se está decidiendo a hacer algo para beneficio de la otra persona. Pienso que eso debe ser lo que quería decir Jesús.

»Por supuesto, no tenemos sentimientos afectuosos hacia la gente que nos odia. Eso sería anormal. Sin embargo, sí podemos hacer actos de amor a favor de esas personas. Esto solo es producto de una decisión. Tenemos la esperanza de que esos actos de amor tengan un efecto positivo sobre su actitud, conducta y manera de tratarnos, pero al menos hemos escogido hacer algo positivo a favor de ellos.

Mi respuesta pareció satisfacer a Ann; al menos por el momento. Me pareció que tendríamos que volver a hablar de nuevo de aquel asunto. También me pareció que, si el experimento se ponía en marcha, sería a causa de la profunda fe que Ann tenía en Dios.

»Después del primer mes —le dije—, quiero que le pregunte a Glenn qué tal está haciendo usted las cosas. Usando sus propias palabras, pregúntele: "Glenn, ¿recuerdas hace unas cuantas semanas, cuando te dije que iba a tratar de convertirme en una esposa mejor? Quiero preguntarte cómo te parece que van las cosas".

»Cualquiera que sea la respuesta de Glenn, acéptela como información. Tal vez actúe con sarcasmo, o con petulancia u hostilidad, o tal vez sea positivo. Cualquiera que sea su respuesta, no discuta. Acéptela y asegúrele que usted va en serio y que es cierto que quiere ser una esposa mejor, y que si él tiene alguna sugerencia más, está dispuesta a escucharla.

»Siga este esquema de pedirle su opinión una vez al mes, durante los seis meses. Cuando Glenn le dé la primera opinión positiva; cuando le diga: "¿Sabes una cosa? Tengo que admitir que cuando me dijiste por primera vez que ibas a tratar de mejorar, me faltó poco para reírme del asunto, pero tengo que reconocer que las cosas han cambiado en este lugar", usted sabrá que sus esfuerzos se están abriendo paso en las emociones de él. Tal vez le dé esa opinión positiva después del primer mes, o tal vez después del segundo o el tercero. Una semana después de recibir la primera opinión positiva, quiero que le pida algo; algo que usted quisiera que él hiciera, y que estuviera de acuerdo con el lenguaje primario de usted en el amor. Por ejemplo, le podría decir una tarde: "Glenn, ¿sabes lo que me gustaría hacer? ¿Recuerdas que solíamos jugar al Scrabble juntos? Me gustaría jugarlo de nuevo contigo el jueves por la noche. Los niños se van a quedar en casa de Mary. ¿Te parece que sería posible?"

»Haga la petición de manera concreta, no generalizada. No le diga: "¿Sabes? Me gustaría que pasáramos más tiempo juntos". Eso es demasiado impreciso. ¿Cómo va a saber usted que él lo ha hecho? En cambio, si le pide algo concreto, él va a saber con exactitud lo que usted quiere, y usted sabrá que, cuando él lo haga, estará decidiéndose a hacer algo para beneficio de usted.

»Pídale algo concreto cada mes. Si él lo hace, estupendo; si no lo hace, también. Pero cuando lo haga, usted sabrá que está respondiendo favorablemente a sus necesidades. En medio de este proceso, le estará enseñando su lenguaje primario en el amor, porque lo que le está pidiendo está de acuerdo con ese lenguaje. Si él decide comenzar a amarla en el lenguaje primario de usted, sus emociones positivas con respecto a él comenzarán a salir de nuevo a la superficie. Su tanque emocional va a comenzar a llenarse, y con el tiempo, su matrimonio volverá a nacer.

—Doctor Chapman, estoy dispuesta a hacer lo que sea con tal que eso suceda —me dijo Ann.

—Muy bien —le respondí—. Le va a llevar mucho trabajo, pero creo que vale la pena intentarlo. Estoy muy interesado en ver si este experimento da resultado, y si nuestra hipótesis es cierta. Me gustaría seguirme reuniendo regularmente con usted durante todo este proceso —tal vez cada dos semanas—, y que usted mantuviera un registro escrito de las palabras positivas de afirmación que le dé a Glenn cada semana. Además, me gustaría que me trajera la lista de quejas que vaya escribiendo en su cuaderno sin decírselas a Glenn. Tal vez, a partir de lo que usted siente que es motivo de queja, la pueda ayudar a preparar peticiones concretas para Glenn que la puedan ayudar a eliminar algunas de esas frustraciones. Quiero que al final usted haya aprendido a compartir sus frustraciones e irritaciones de una manera constructiva, y que tanto usted como Glenn aprendan a resolver esas irritaciones y esos conflictos. Pero durante este experimento de seis meses, quiero que escriba todo eso sin decírselo a Glenn.

Ann se marchó, y me pareció que tenía ya la respuesta a su pregunta sobre si es posible amar a alguien a quien uno odia.

Durante los seis meses siguientes, Ann vio un inmenso cambio en las actitudes de Glenn y su manera de tratarla. El primer mes se comportaba con arrogancia, y trataba todo aquello a la ligera. Pero después del segundo mes, le dio una opinión positiva acerca de sus esfuerzos. En los cuatro meses últimos, fue reaccionando de manera positiva ante casi todas las cosas que ella le pedía, y los sentimientos de ella hacia él comenzaron a cambiar de manera drástica. Glenn nunca regresó para recibir consejería, pero sí escuchó algunas de mis cintas grabadas y las comentó con Ann. La animó a seguir bajo consejería, lo cual ella hizo durante tres meses después del final de nuestro experimento. Hasta el día de hoy, Glenn les jura a sus amigos que yo soy un obrador de milagros. Y lo que yo sí sé con toda certeza es que el amor obra milagros.

Tal vez usted necesite un milagro en su propio matrimonio. ¿Por qué no intenta repetir el experimento de Ann? Dígale a su esposa que ha estado pensando acerca de su matrimonio y que ha decidido que le gustaría satisfacer mejor las necesidades de ella. Pídale sugerencias sobre la forma en que usted podría mejorar. Esas sugerencias van a ser una pista con respecto a su lenguaje primario en el amor. Si ella no le hace ninguna sugerencia, piense que su lenguaje en el amor se basa en las cosas de las que se ha venido quejando por años. Después, durante seis meses, centre su atención en ese lenguaje de amor. Al final de cada mes. Pídale a su esposa que le dé su opinión sobre la forma en que usted está actuando y que le haga otras sugerencias.

Cada vez que ella le indique que está notando una mejora, espere una semana y entonces pídale algo concreto. Esa petición debería ser de algo que realmente querría que ella hiciera por usted. Si decide hacerlo, sabrá que está respondiendo positivamente a sus necesidades. Si no honra su petición, sígala amando. Tal vez el mes próximo le va a responder de manera positiva. Si ella comienza a hablar su lenguaje en el amor, a base de satisfacer sus peticiones, sus emociones positivas hacia ella van a regresar y, con el tiempo, su matrimonio volverá a nacer. No le puedo garantizar los resultados, pero son muchas las personas a quienes les he dado consejería que han experimentado el milagro del amor.

NOTAS

[1] Lucas 6:27-28, 31-32.

[2] Lucas 6:38.

Palabras de afirmación

Regalos

Tiempo de calidad

Actos de servicio

Toque físico

TRECE

Los *niños* y los lenguajes del amor

¿SE APLICA A LOS NIÑOS ESTE CONCEPTO DE LOS LENGUAJES DEL AMOR? Los que asisten a mis seminarios para matrimonios me hacen esta pregunta con mucha frecuencia. Mi respuesta es un firme «sí». Cuando los niños son pequeños, no conocemos su lenguaje primario en el amor. Por tanto, derrame sobre ellos los cinco, y puede estar seguro de que dará en el blanco. Pero si observa su conducta, podrá llegar a saber muy pronto cuál es su lenguaje primario en el amor.

Bobby tiene seis años. Cuando su padre vuelve del trabajo, se le sube al regazo, extiende el brazo y se pone a desordenarle el cabello. ¿Qué le está diciendo Bobby a su padre? «Quiero que me toquen». Está tocando a su padre porque quiere que lo toquen a él. Es muy probable que su lenguaje primario en el amor sea el del «toque físico».

Patrick vive al lado de Bobby. Tiene cinco años y medio, y juegan juntos. Sin embargo, el padre de Patrick se encuentra con una escena distinta cuando vuelve del trabajo. Patrick le dice con gran entusiasmo:

—Ven, papá. Quiero enseñarte algo. Ven.

Su padre le dice:

—Espera un momento, Patrick. Quiero echarle una ojeada al periódico.

Patrick se marcha por un instante, pero vuelve al cabo de quince segundos, diciéndole:

—Papá, ven a mi cuarto. Te lo quiero enseñar ahora, papá. Te lo quiero enseñar ahora.

Su padre le contesta:

—Un minuto, hijo. Déjame acabar de leer.

La madre de Patrick lo llama, y él sale disparado. Ella le dice que su padre está muy cansado, y que por favor le deje leer el periódico unos minutos. Patrick le responde:

—Pero mamá, es que yo le quiero enseñar lo que hice.

—Ya lo sé —le dice la madre—, pero déjalo que lea unos minutos.

Sesenta segundos más tarde, Patrick vuelve donde está su padre, pero en lugar de decir algo, le salta encima del periódico riéndose. Su padre le dice:

—Patrick, ¿qué estás haciendo?

—Yo quiero que vengas a mi cuarto, papá. Te quiero enseñar lo que hice —le contesta Patrick.

¿Qué está pidiendo Patrick? «Tiempo de calidad». Quiere gozar de toda la atención de su padre, y no se va a detener hasta que lo logre, aunque tenga que fabricar un drama.

Si su hijo le hace regalos con frecuencia, envolviéndolos y dándoselos con un brillo especial en los ojos, es probable que su lenguaje primario en el amor sea el de «recibir regalos». Le da cosas a usted, porque quiere recibir él. Si usted observa que su hijo o hija siempre está tratando de ayudar a un hermano o hermana menor, es probable que esto signifique que su lenguaje primario en el amor es los «actos de servicio». Si le habla con frecuencia de lo bien que se ve usted, y lo buen padre o buena madre que es, y el trabajo tan bueno que hace, esto indicaría que su lenguaje primario en el amor es el de las «palabras de afirmación».

Todo esto se encuentra en el nivel subconsciente para el niño. Es decir, que no está pensando conscientemente: «Si hago un regalo, mis padres me van a hacer otro; si toco, me van a tocar», sino que su conducta es impulsada por sus apetitos emocionales. Tal vez haya aprendido por experiencia que cuando hace o dice ciertas cosas, lo típico es que reciba ciertas respuestas de parte de sus padres. Por eso, hace o dice aquello que tiene por consecuencia la satisfacción de sus propias necesidades emocionales. Si todo va bien y son satisfechas esas necesidades, los niños crecen hasta convertirse en adultos responsables; en cambio, si sus necesidades emocionales no son satisfechas, es posible que violen las normas de lo aceptable, en una expresión de ira hacia unos padres que no satisficieron sus necesidades, y busquen el amor en los lugares menos adecuados.

El doctor Ross Campbell, el psiquiatra que me habló por vez primera acerca del tanque emocional de amor, dice que en los numerosos años en que ha estado tratando adolescentes que se involucraron en una mala conducta sexual, nunca ha tratado a ningún adolescente cuya necesidad emocional de amor haya sido satisfecha por sus padres. Él sostiene la opinión de que casi todas las formas incorrectas de conducta sexual en la adolescencia tienen sus raíces en un tanque emocional de amor que está vacío.

¿Ha visto usted esto en su comunidad? Un adolescente se fuga de su casa. Los padres se retuercen las manos mientras dicen: «¿Cómo pudo hacernos esto, después de todo lo que nosotros hemos hecho por él?», pero el adolescente se encuentra a cien kilómetros carretera abajo en la oficina de algún consejero, diciéndole: «Mis padres no me aman. Nunca me han amado. Aman a mi hermano, pero a mí, no». ¿Aman realmente los padres a ese adolescente? En la mayoría de los casos, sí lo aman. Entonces, ¿dónde está el problema? Es muy probable que esos padres no hayan aprendido nunca a comunicarle su amor en un lenguaje que él pueda comprender.

Tal vez le hayan comprado guantes de pelota y bicicletas para demostrarle su amor, pero él ha estado clamando: «¿Alguien quiere jugar a la pelota conmigo? ¿Alguien quiere salir a montar bicicleta conmigo?». La diferencia entre comprarle un guante de pelota a un hijo y jugar a la pelota con él podría ser la diferencia entre un tanque de amor vacío y uno lleno. Los padres podemos amar con sinceridad a nuestros hijos, y la mayoría de nosotros lo hacemos, pero con la sinceridad no basta. Tenemos que aprender a hablar su lenguaje primario en el amor para poder satisfacer su necesidad emocional de amor.

Veamos los cinco lenguajes del amor en el contexto del amor a los hijos.

Las palabras de afirmación

Lo normal es que los padres le digan muchas palabras de afirmación al niño cuando es pequeño. Aun antes que comprenda la comunicación verbal, le dicen: «Qué naricita tan bella; qué ojos tan hermosos; qué pelo encrespado tan bonito», y cosas semejantes. Cuando comienza a gatear, aplaudimos todos sus movimientos y le decimos «palabras de afirmación». Cuando comienza a caminar y se pone de pie recostado al sofá con una sola mano, nosotros nos ponemos a medio metro de distancia y le decimos: «Ven, ven, ven. ¡Así! Camina. Eso es, camina». El niño da medio paso y se cae, y ¿qué le decimos? No le decimos: «Niño tonto, ¿acaso no puedes caminar?». Lo que le decimos es: «Sí, eso es». Así que él se levanta y lo intenta de nuevo.

Entonces, ¿por qué es que cuando el niño crece, nuestras «palabras de afirmación» se convierten en palabras de condenación? Cuando el niño tiene siete años, entramos a su habitación y le decimos que ponga los juguetes en el baúl de los juguetes. Hay doce juguetes en el suelo. Cinco minutos más tarde regresamos y hay siete juguetes en el baúl. ¿Qué le decimos? «Te dije que recogieras esos juguetes, si no los recoges, te los voy a ________». Entonces, ¿qué pasó con los siete juguetes que hay ya en el baúl? ¿Por qué no le decimos: «Sí, Johnny, muy bien; pusiste siete juguetes en el baúl. Estupendo». Es probable que los otros cinco se metan de un salto en el baúl. A medida que el niño va creciendo, tendemos a condenarlo por sus fallos, en lugar de elogiarlo por sus triunfos.

Nuestras palabras negativas, críticas y humillantes despiertan el terror en la psiquis del niño cuyo lenguaje primario en el amor es el de las «palabras de afirmación». Son centenares los adultos de treinta y cinco años que aún están oyendo resonar en sus oídos las palabras de condenación que les dijeron hace veinte años: «Estás demasiado gordo; nadie se va a enamorar de ti jamás». «No eres un estudiante. Lo mejor sería que dejaras de ir a la escuela». «No puedo creer que seas tan tonto». «Eres un irresponsable, y nunca vas a servir para nada». Los adultos luchan con su autoestima y sienten durante toda su vida que nadie los ama cuando se viola su lenguaje primario en el amor de una manera tan nociva.

El tiempo de calidad

Darles tiempo de calidad a los niños significa prestarles toda nuestra atención. Para el niño pequeño significa sentarse en el suelo, tirarles una bola rodando y esperar que nos la devuelva. Estamos hablando de jugar con autos de juguete o con muñecas. Estamos hablando de jugar con ellos en el cajón de arena y construir castillos, meternos en su mundo; hacer cosas con él. Usted, como adulto, tal vez esté metido en la computadora, pero su hijo vive en su mundo infantil. Es necesario que descienda hasta el nivel de ese niño para aprender finalmente a guiarlo hacia el mundo de los adultos.

Cuando el niño crece y desarrolla nuevos intereses, es necesario que entre en esos intereses si quiere satisfacer las necesidades de él. Si le gusta el baloncesto, interésese en el baloncesto; pase tiempo jugando con él al baloncesto; llévelo a partidos de baloncesto. Si le gusta el piano, tal vez pudiera tomar lecciones de piano o por lo menos, escucharlo con toda atención durante parte del tiempo que dedique a sus prácticas. Cuando le presta toda su atención, le está diciendo que lo quiere; que él es importante para usted y que disfruta cuando está con él.

Muchos adultos, al pensar en su niñez, no recuerdan mucho de lo que les decían sus padres, pero sí recuerdan lo que hacían. Un adulto me decía: «Recuerdo que mi padre nunca se perdía mis partidos en la escuela secundaria. Sabía que le interesaba lo que yo hacía». Para ese adulto, el «tiempo de calidad» era un comunicador de amor sumamente importante. Si el «tiempo de calidad» es el lenguaje primario de su hijo, y usted habla ese lenguaje, es muy probable que le permita pasar tiempo de calidad con él, incluso durante los años de su adolescencia. Si no le da tiempo de calidad cuando es pequeño, es muy probable que busque la atención de sus compañeros durante los años de la adolescencia y se aleje de unos padres que tal vez en esos momentos anhelan con urgencia pasar más tiempo con sus hijos.

Recibir regalos

Muchos padres y abuelos hablan excesivamente el lenguaje de los regalos. Es más, cuando vamos a las jugueterías, nos preguntamos si acaso los padres creen que ese es el único lenguaje que habla el amor. Si tienen dinero, tienden a comprarles muchos regalos a sus hijos. Hay padres que creen que esa es la mejor forma de manifestarles su amor. Hay quienes tratan de hacer por sus hijos lo que sus padres no pudieron hacer por ellos. Compran cosas que habrían querido tener cuando ellos eran niños. Sin embargo, a menos que ese sea el lenguaje primario del niño en el amor, es posible que esos regalos signifiquen poco para él desde el punto de vista emocional. El padre (o la madre) tiene buenas intenciones, pero no está satisfaciendo las necesidades emocionales de su hijo a base de darle regalos.

Si el niño echa a un lado muy pronto los regalos que le hace; si rara vez le dice «gracias», si no cuida esos regalos que le ha hecho, si no los valora, lo más probable es que su lenguaje primario en el amor no sea el de «recibir regalos». En cambio, si su hijo le responde dándole muchas veces las gracias, si les enseña a otros el regalo y les dice lo maravilloso que es usted por habérselo comprado, si lo cuida, si lo pone en un lugar importante de su habitación y lo mantiene limpio y pulido; si juega con él frecuentemente durante un largo período de tiempo, entonces tal vez su lenguaje primario sea el de «recibir regalos».

¿Qué hacer si usted tiene un hijo cuyo lenguaje primario en el amor es el de «recibir regalos», pero usted no tiene manera de hacerle muchos regalos? Recuerde que no es la calidad ni el precio del regalo lo que cuenta, sino el pensamiento. Hay muchos regalos que los puede hacer uno mismo, y algunas veces el niño agradece ese regalo más que otro costoso que venga de una fábrica. Es frecuente que los niños pequeños jueguen más con la caja que con el juguete que venía dentro de ella. También puede buscar juguetes que hayan sido desechados y renovarlos. El proceso de renovarlos se puede convertir en un proyecto para que lo realicen el padre y el hijo juntos. No es necesario tener una gran cantidad de dinero para darles regalos a nuestros hijos.

Los actos de servicio

Cuando los niños son pequeños, los padres están realizando continuamente «actos de servicio» a favor de ellos. Si no lo hicieran, el niño moriría. Bañarlo, alimentarlo y vestirlo son cosas que requieren una gran cantidad de trabajo en los primeros años de su vida. Después viene lo de cocinar para él, lavarle la ropa y plancharla. Más tarde vienen cosas como prepararle el almuerzo para la escuela, hacerle de taxista y ayudarlo con la tarea. Muchos niños dan por sentadas esas cosas, pero hay otros niños a los cuales les comunican el amor de sus padres.

Si su niño expresa con frecuencia su agradecimiento por unos actos comunes y corrientes de servicio, eso es un indicio de que esos actos son emocionalmente importantes para él. Sus actos de servicio le están comunicando su amor de una manera significativa. Cuando usted lo ayuda con un proyecto de ciencias, eso significa para él más que sacar una buena nota. Significa: «Mi padre me ama». Cuando le arregla la bicicleta, hace más que volverlo a poner sobre ruedas. Lo envía con el tanque lleno. Si su hijo se ofrece continuamente para ayudarlo en los trabajos que usted hace, es probable que esto signifique que en su mente se trata de una manera de expresar amor, y muy posiblemente, los «actos de servicio» constituyan su lenguaje primario en el amor.

El toque físico

Hace mucho tiempo que sabemos que el «toque físico» es un comunicador de emociones para los niños. Las investigaciones han mostrado que los niños a los que se toca con frecuencia, se desarrollan mejor en el aspecto emocional que aquellos a quienes no se toca con tanta frecuencia. Lo natural es que muchos padres, y otros adultos, tomen a un bebé, lo carguen, lo acaricien, lo besen, lo aprieten y le digan palabritas tontas. Mucho antes de que el niño comprenda el significado de la palabra amor, se siente amado. Abrazar, besar, dar palmaditas y tomar de la mano son todas acciones destinadas a comunicarle amor a un niño. La forma de abrazar y besar de un adolescente es distinta a la de un bebé. Es posible que su hijo adolescente no agradezca una conducta así delante de sus compañeros, pero eso no significa que no quiera que lo toquen, sobre todo si ese es su lenguaje primario en el amor.

Si su hijo adolescente tiene por costumbre venir por detrás de usted a tomarlo por los brazos, darle un suave empujón, atraparlo por un tobillo cuando usted atraviesa la habitación, ponerle una zancadilla o cosas así, todo eso indica que el «contacto físico» es importante para él.

Observe a sus hijos. Vea cómo ellos les expresan amor a los demás. Esa es la indicación mejor sobre cuál es su lenguaje en el amor. Observe las cosas que le piden. Muchas veces, lo que piden va a estar de acuerdo con su propio lenguaje de amor. Tenga en cuenta las cosas que más agradecen. Todo esto sirve de indicativo sobre su lenguaje primario en el amor.

El lenguaje de amor de nuestra hija es el «tiempo de calidad»; por eso, cuando era pequeña, ella y yo solíamos salir a caminar juntos. Durante sus años en la escuela secundaria, mientras asistía a la Academia Salem, una de las academias femeninas más antiguas del país, nos íbamos a caminar por los pintorescos alrededores de Old Salem. Los moravos han restaurado el pueblo, que tiene más de doscientos años. Cuando uno camina por sus calles adoquinadas, se siente trasladado a unos tiempos más sencillos. Al atravesar su antiguo cementerio, uno siente la realidad de la vida y la muerte. En esos años, salíamos a caminar tres tardes por semana y teníamos largas conversaciones en medio de aquel austero escenario. Ella es médico ahora, pero cuando vuelve a casa, casi siempre dice: «Papá, ¿quieres salir a caminar?». Yo nunca rechazo su invitación.

Mi hijo nunca quería salir a caminar conmigo. Me decía: «Caminar es cosa de tontos. No vas a ningún lado. Si hay que ir a algún lado, para eso está el auto».

El «tiempo de calidad» no era su lenguaje primario en el amor. Muchas veces, los padres tendemos a tratar de meter a todos nuestros hijos en el mismo molde. Vamos a conferencias sobre paternidad responsable, o leemos libros sobre la paternidad, adquirimos unas cuantas ideas maravillosas y queremos volver a casa para practicarlas con todos nuestros hijos. El problema es que cada uno de ellos es distinto, y lo que le comunica amor a uno, no se lo comunica a otro. Si obliga a uno de sus hijos a salir con usted a caminar, para que puedan pasar juntos un tiempo de calidad, no le estará comunicando amor. Tenemos que aprender a hablar el lenguaje de nuestros hijos si queremos que ellos se sientan amados.

Creo que la mayoría de los padres aman sinceramente a sus hijos. Creo también que son miles los padres que no les han sabido comunicar su amor en el lenguaje apropiado, y que en este país hay miles de niños que viven con el tanque emocional vacío. Creo también que la mayor parte de las formas incorrectas de conducta que manifiestan los niños y los adolescentes se puede remontar a un tanque de amor vacío.

Nunca es demasiado tarde para expresar amor. Si tiene hijos ya mayores, y se da cuenta de que les ha estado hablando en el lenguaje de amor equivocado, ¿por qué no decírselo? «¿Sabes una cosa? He estado leyendo un libro sobre cómo expresar el amor, y me doy cuenta de que no te he estado expresando mi amor de la mejor manera posible a lo largo de los años. Te he tratado de expresar mi amor a base de ________, pero ahora me doy cuenta de que es probable que eso no te haya comunicado amor, y que a la vez tu lenguaje en el amor sea algo distinto. Estoy comenzando a pensar que tu lenguaje en el amor podría ser ___________. Sabes que te amo de verdad, y tengo la esperanza de que en el futuro te pueda expresa ese amor de una manera mejor». Hasta podría intentar explicarle los cinco lenguajes del amor y deliberar con él sobre el lenguaje de usted en el amor, y también el de él.

Tal vez usted no se sienta amado por sus hijos ya mayores. Si son lo suficientemente mayores para comprender el concepto de los lenguajes del amor, tal vez se les abran los ojos cuando hablen de este tema. Es posible que se sorprenda cuando vea lo dispuestos que están a comenzar a hablar el lenguaje de usted, y si lo hacen, también se podría sorprender por la forma en que comienzan a cambiar sus sentimientos y actitudes hacia ellos. Cuando los miembros de una familia comienzan a hablar cada cual en el lenguaje primario del otro para el amor, el clima emocional de la familia mejora notablemente.

Palabras de afirmación

Regalos

Tiempo de calidad

Actos de servicio

Toque físico

Unas palabras *personales*

EN EL CAPÍTULO 2 LE ADVERTÍA AL LECTOR QUE «COMPRENDER LOS CINCO lenguajes del amor y aprender a hablar el lenguaje primario de su esposa para el amor podría afectar a la conducta de ella de una manera radical». Ahora le pregunto: «¿Qué le parece?». Después de haber leído estas páginas, entrado y salido de la vida de varias parejas, visitado pueblos pequeños y ciudades grandes, después de haberse sentado conmigo en mi oficina de consejería y hablado con la gente en los restaurantes, ¿qué piensa? ¿Podrían alterar radicalmente estos conceptos el clima emocional de su matrimonio? ¿Qué sucedería si descubriera el lenguaje primario de su esposa en el amor, y tomar la decisión de hablarlo constantemente?

Ni usted ni yo podemos responder esa pregunta mientras no lo haya intentado. Sé que muchas parejas que han oído este concepto en mis seminarios para matrimonios dicen que cuando han tomado la decisión de amar y expresar ese amor en el lenguaje primario de su cónyuge, se ha producido un drástico cambio en su matrimonio. Cuando se satisface la necesidad emocional de amor, esto crea un clima en el cual la pareja puede enfrentarse al resto de la vida de una manera mucho más productiva.

Todos entramos al matrimonio con una personalidad y una historia distintas. Traemos con nosotros nuestro bagaje emocional al matrimonio. Venimos con expectaciones distintas, con maneras distintas de enfocar las cosas, y con opiniones distintas en cuanto a lo que importa en la vida. En un matrimonio saludable, es necesario procesar esa variedad de perspectivas. No tenemos por qué estar de acuerdo en todo, pero debemos hallar una forma de manejar nuestras diferencias, de manera que no creen divisiones. Cuando las parejas tienen vacío el tanque del amor, tienden a discutir y alejarse, y algunos tienden incluso a la violencia verbal o física en sus discusiones. En cambio, cuando el tanque de amor está lleno, creamos un clima de amistad, un clima donde tratamos de ser comprensivos, donde estamos dispuestos a permitir que haya diferencias y a negociar los problemas. Estoy convencido de que no hay aspecto alguno del matrimonio que afecte al resto de él tanto como la satisfacción de la necesidad emocional de amor.

Tener capacidad para amar, sobre todo cuando nuestro cónyuge no nos ama, les podrá parecer algo imposible a algunos. Ese amor tal vez exija de nosotros que echemos mano de nuestros recursos espirituales. Hace ya un buen número de años, mientras me enfrentaba con mis propias luchas maritales, redescubrí mi necesidad de Dios. Como antropólogo, había sido adiestrado a examinar los datos. Decidí excavar personalmente las raíces de la fe cristiana. Al examinar los relatos históricos sobre el nacimiento, la vida, la muerte y la resurrección de Cristo, llegué a considerar su muerte como una expresión de amor, y su resurrección como una profunda evidencia de su poder. Me convertí en un verdadero «creyente». Le consagré mi vida, y he descubierto que Él proporciona la energía espiritual interna necesaria para amar, aunque se trate de un amor no correspondido. Lo exhorto a hacer su propia investigación sobre Aquel que, al morir, oró por sus verdugos, diciendo: «Padre, perdónales, porque no saben lo que hacen». Esa es la expresión máxima del amor.

El alto porcentaje de divorcios que hay en nuestra nación da testimonio de que son miles las parejas casadas que han estado viviendo con el tanque emocional del amor vacío. El número creciente de adolescentes que se fugan de su hogar y que chocan con la ley indica que muchos padres que tal vez hayan tratado sinceramente de expresarles amor a sus hijos, han estado hablando un lenguaje de amor equivocado. Creo que los conceptos de este libro podrían causar un impacto en los matrimonios y las familias de nuestro país.

No he escrito este libro como un tratado académico destinado a ser almacenado en las bibliotecas de los colegios universitarios y las universidades, aunque tengo la esperanza de que los profesores de sociología y de psicología lo hallen útil en los cursos sobre matrimonio y vida familiar. No he escrito para los que están estudiando el matrimonio, sino para los que están casados; para los que han pasado por la euforia del «enamoramiento»; los que han entrado al matrimonio con el elevado sueño de hacerse supremamente felices el uno al otro, pero en la realidad de la vida cotidiana se encuentran en peligro de perder por completo ese sueño. Tengo la esperanza de que haya miles de parejas que no solo descubran de nuevo su sueño, sino que vean el camino que les permita convertirlo en realidad.

Sueño con el día en el cual el potencial de las parejas casadas de este país pueda ser desatado para el bien de la humanidad; cuando marido y mujer puedan vivir la vida con un tanque emocional de amor lleno, y lanzarse a lograr su potencial como personas y como pareja. Sueño en el día en que los niños puedan crecer en un hogar lleno de amor y seguridad; cuando las energías en desarrollo de los niños puedan ser encauzadas al aprendizaje y el servicio, en lugar de andar en busca del amor que no reciben en su casa. Es mi anhelo que este breve volumen encienda la llama del amor en su matrimonio y en el matrimonio de miles de parejas más como la suya.

Si me fuera posible, les entregaría personalmente este libro a todos los matrimonios de este país y les diría: «Esto lo escribí para ustedes. Espero que les cambie la vida. Y si lo hace, no se olviden de pasárselo a otros». Puesto que no puedo hacer esto, me agradaría que les diera un ejemplar del libro a sus parientes, a sus hermanos y hermanas, a sus hijos casados, a sus empleados, a los miembros de su club cívico, iglesia o sinagoga. Quién sabe. Juntos, es posible que veamos nuestro sueño convertido en realidad.

Visite el siguiente portal de la web si quiere obtener una guía de estudio gratuita en inglés:

http://www.fivelovelanguages.com

Esta guía de estudio fue pensada para tomar los conceptos que se encuentran en el libro *Los cinco lenguajes del amor* y enseñarle a aplicarlos a su vida de una manera práctica. Hay una página de estudio por cada capítulo. Para estudios por parejas o por grupos, y para grupos de discusión.

Perfil de los cinco lenguajes del amor para esposos

Tal vez usted piense que ya sabe cuál es su lenguaje primario en el amor. O tal vez no tenga ni idea. El Perfil de los cinco lenguajes del amor lo ayudará a saber con seguridad cuál es su lenguaje: si es el de las palabras de afirmación, el del tiempo de calidad, el de recibir regalos, el de los actos de servicio o el del toque físico.

Este perfil consta de treinta pares de afirmaciones. Usted solo puede escoger una de cada par como la que mejor representa lo que usted quiere. Busque cada par de afirmaciones y después, en la columna de la derecha, rodee con un círculo la letra que corresponde a la afirmación que haya escogido. Algunas veces podría ser difícil escoger entre dos afirmaciones, pero solo puede escoger una de cada par, para asegurar que los resultados del perfil sean lo más precisos posible.

Dedique entre quince y treinta minutos a realizar el perfil. Hágalo cuando se sienta descansado, y trate de no contestarlo de una manera precipitada. Una vez hechas sus selecciones, regrese y cuente el número de veces que ha rodeado con un círculo cada una de las letras. Puede anotar los resultados en los espacios destinados a ellos al final del perfil.

1	*Las notas amorosas de mi esposa me hacen sentir bien.*	A
	Me gusta que mi esposa me abrace.	E
2	*Me gusta estar a solas con mi esposa.*	B
	Me siento amado cuando mi esposa me ayuda en el patio.	D
3	*Me hace feliz que mi esposa me haga regalos especiales.*	C
	Me gusta hacer viajes largos con mi esposa.	B
4	*Me siento amado cuando mi esposa lava la ropa.*	D
	Me gusta que mi esposa me toque.	E
5	*Me siento amado cuando mi esposa me rodea con sus brazos.*	E
	Sé que mi esposa me ama, porque me sorprende con regalos.	C
6	*Me gusta ir a casi todas partes con mi esposa.*	B
	Me gusta ir tomado de la mano con mi esposa.	E
7	*Aprecio los regalos que me hace mi esposa.*	C
	Me encanta oír que mi esposa me dice que me ama.	A

8 *Me gusta que mi esposa se siente cerca de mí.* **E**
Mi esposa me dice que me veo bien, y me gusta que me lo diga. **A**

9 *Me siento feliz cuando paso tiempo con mi esposa.* **B**
Hasta el regalo más pequeño de mi esposa es importante para mí. **C**

10 *Me siento amado cuando mi esposa me dice que se siente orgullosa de mí.* **A**
Cuando mi esposa cocina para mí, sé que me ama. **D**

11 *Me gusta hacer cosas con mi esposa, sea lo que sea.* **B**
Los comentarios de apoyo de mi esposa me hacen sentir bien. **A**

12 *Las cosas pequeñas que mi esposa hace por mí significan más que lo que ella dice.* **D**
Me gusta abrazar a mi esposa. **E**

13 *Los elogios de mi esposa significan mucho para mí.* **A**
Significa mucho para mí que mi esposa me dé regalos que me gusten de verdad. **C**

14 *Solo con estar cerca de mi esposa, ya me siento bien.* **B**
Me encanta que mi esposa me frote la espalda. **E**

15 *Las reacciones de mi esposa ante mis logros me dan mucho ánimo.* **A**
Significa mucho para mí que mi esposa me ayude con algo que sé que detesta. **D**

16 *Nunca me canso de los besos de mi esposa.* **E**
Me encanta que mi esposa muestre un verdadero interés en las cosas que me gusta hacer. **B**

17 *Puedo contar con que mi esposa me va a ayudar en mis proyectos.* **D**
Aún me emociono cuando abro un regalo de mi esposa. **C**

18 *Me encanta que mi esposa elogie mi apariencia externa.* **A**
Me encanta que mi esposa escuche mis ideas y no se precipite a juzgarme o criticarme. **B**

19 *No me puedo aguantar las ganas de tocar a mi esposa cuando está cerca de mí.* **E**
Algunas veces mi esposa me hace encargos, y se lo agradezco. **D**

20 *Mi esposa se merece un premio por todo lo que hace para ayudarme.* **D**
A veces me maravillo de lo considerados que son los regalos que me hace mi esposa. **C**

21	*Me encanta contar con la atención total de mi esposa.*	**B**
	Mantener la casa limpia es un acto importante de servicio.	**D**
22	*Me siento ansioso por ver lo que me da mi esposa para mi cumpleaños.*	**C**
	Nunca me canso de oír que mi esposa me dice que soy importante para ella.	**A**
23	*Mi esposa me hace saber que me ama, haciéndome regalos.*	**C**
	Mi esposa me demuestra su amor ayudándome a mantenerme al día en las cosas que hay que hacer en la casa.	**D**
24	*Mi esposa no me interrumpe cuando hablo, y eso me agrada.*	**B**
	Nunca me canso de recibir regalos de mi esposa.	**C**
25	*Mi esposa sabe cuándo estoy cansado, y también sabe preguntarme cómo me puede ayudar.*	**D**
	Dondequiera que vayamos, me gusta ir con mi esposa.	**B**
26	*Me encanta tener relaciones sexuales con mi esposa.*	**E**
	Me encantan los regalos sorpresa de mi esposa.	**C**
27	*Las palabras de aliento de mi esposa me hacen sentir tranquilo.*	**A**
	Me encanta ver películas con mi esposa.	**B**
28	*No podría pedir mejores regalos que los de mi esposa.*	**C**
	Me es imposible quitarle las manos de encima a mi esposa.	**E**
29	*Significa mucho para mí que mi esposa me ayude, a pesar de tener otras cosas que hacer.*	**D**
	Me hace sentir realmente bien que mi esposa me diga que me aprecia.	**A**
30	*Me encanta abrazar y besar a mi esposa cuando hemos estado separados por algún tiempo.*	**E**
	Me encanta oír decir a mi esposa que cree en mí.	**A**

A: ______ *B:* ______ *C:* ______ *D:* ______ *E:* ______

A = *Palabras de afirmación* B = *Tiempo de calidad*
C = *Recibir regalos* D = *Actos de servicio* E = *Toque físico*

Interpretación y uso de su puntuación en el Perfil

Su lenguaje primario en el amor es el que obtuvo la puntuación más alta. Usted es «bilingüe» y tiene dos lenguajes de amor primarios si los totales son iguales en dos de los lenguajes. Si la puntuación que viene en segundo lugar es cercana a la del lenguaje de amor primario, pero no igual, esto solo significa que ambas expresiones de amor son importantes para usted. La puntuación más alta posible para todos los lenguajes de amor es un 12.

Tal vez tenga una puntuación mayor en ciertos lenguajes de amor que en otros, pero no por eso eche a un lado esos otros como si fueran insignificantes. Es posible que su esposa le exprese el amor de esas formas, y le sería útil comprender esto acerca de ella.

De igual forma, beneficiará a su esposa el que conozca el lenguaje de amor que usa usted, y le exprese su afecto de unas formas que interprete como amor. Cada vez que usted o su esposa hablan el lenguaje del otro, se están anotando puntos emocionales el uno con el otro. Por supuesto, no estamos hablando de un juego donde se lleve anotación de los puntos ganados.

La recompensa cuando hablamos cada uno el lenguaje de amor que tiene el otro, es una sensación de conexión mayor. Esto se traduce en una comunicación mejor, una comprensión más grande, y en última instancia, una mejora de la vida romántica.

Si su esposa aún no lo ha hecho, anímela a hacer el *Perfil de los cinco lenguajes del amor para esposas*, y usen esta comprensión para mejorar su matrimonio.

Perfil de los cinco lenguajes del amor para esposas

¿Las palabras de afirmación, el tiempo de calidad, recibir regalos, los actos de servicio o el toque físico? ¿Cuál de estas cosas constituye su lenguaje primario para el amor? El siguiente perfil la ayudará a saberlo con certeza. Entonces, usted y su esposo pueden comentar sus lenguajes de amor respectivos y usar esta información para mejorar su matrimonio.

Este perfil consta de treinta pares de afirmaciones. Solo puede escoger una de cada par como la que mejor representa lo que usted quiere. Busque cada par de afirmaciones y después, en la columna de la derecha, rodee con un círculo la letra que corresponde a la afirmación que haya escogido. Algunas veces podría ser difícil escoger entre dos afirmaciones, pero solo puede escoger una de cada par para asegurar que los resultados del perfil sean lo más precisos posible. Una vez hechas sus selecciones, regrese y cuente el número de veces que ha rodeado con un círculo cada una de las letras. Anote los resultados en los espacios destinados a ellos al final del perfil. Su lenguaje primario en el amor será el que más puntos obtenga.

1	*Las notas amorosas de mi esposo me hacen sentir bien.*	A
	Me gusta que mi esposo me abrace.	E
2	*Me gusta estar a solas con mi esposo.*	B
	Me siento amado cuando mi esposo me lava el auto.	D
3	*Me hace feliz que mi esposo me haga regalos especiales.*	C
	Me gusta hacer viajes largos con mi esposo.	B
4	*Me siento amada cuando mi esposo me ayuda a lavar la ropa.*	D
	Me gusta que mi esposo me toque.	E
5	*Me siento amada cuando mi esposo me rodea con sus brazos.*	E
	Sé que mi esposo me ama, porque me sorprende con regalos.	C
6	*Me gusta ir a casi todas partes con mi esposo.*	B
	Me gusta ir tomada de la mano con mi esposo.	E
7	*Aprecio los regalos que me hace mi esposo.*	C
	Me encanta oír que mi esposo me dice que me ama.	A

8	*Me gusta que mi esposo se siente cerca de mí.*	E
	Mi esposo me dice que me veo bien, y me gusta que me lo diga.	A
9	*Me siento feliz cuando paso tiempo con mi esposo.*	B
	Hasta el regalo más pequeño de mi esposo es importante para mí.	C
10	*Me siento amada cuando mi esposo me dice que se siente orgulloso de mí.*	A
	Cuando mi esposo me ayuda con la limpieza después de las comidas, sé que me ama.	D
11	*Me gusta hacer cosas con mi esposo, sea lo que sea.*	B
	Los comentarios de apoyo de mi esposo me hacen sentir bien.	A
12	*Las cosas pequeñas que mi esposo hace por mí significan más que lo que él dice.*	D
	Me gusta abrazar a mi esposo.	E
13	*Los elogios de mi esposo significan mucho para mí.*	A
	Significa mucho para mí que mi esposo me dé regalos que me gusten de verdad.	C
14	*Solo con estar cerca de mi esposo, ya me siento bien.*	B
	Me encanta que mi esposo me dé un masaje.	E
15	*Las reacciones de mi esposo ante mis logros me dan mucho ánimo.*	A
	Significa mucho para mí que mi esposo me ayude con algo que sé que detesta.	D
16	*Nunca me canso de los besos de mi esposo.*	E
	Me encanta que mi esposo muestre un verdadero interés en las cosas que me gusta hacer.	B
17	*Puedo contar con que mi esposo me va a ayudar en mis proyectos.*	D
	Aún me emociono cuando abro un regalo de mi esposo.	C
18	*Me encanta que mi esposo elogie mi apariencia externa.*	A
	Me encanta que mi esposo me escuche y respete mis ideas.	B
19	*No me puedo aguantar las ganas de tocar a mi esposo cuando está cerca de mí.*	E
	Algunas veces mi esposo me hace encargos, y se lo agradezco.	D
20	*Mi esposo se merece un premio por todo lo que hace para ayudarme.*	D
	A veces me maravillo de lo considerados que son los regalos que me hace mi esposo.	C

21	*Me encanta contar con la atención total de mi esposo.*	**B**
	Me gusta que mi esposo me ayude a limpiar la casa.	**D**
22	*Me siento ansiosa por ver lo que me da mi esposo para mi cumpleaños.*	**C**
	Nunca me canso de oír que mi esposo me dice que soy importante para él.	**A**
23	*Mi esposo me hace saber que me ama, haciéndome regalos.*	**C**
	Mi esposo me demuestra su amor ayudándome sin que yo se lo tenga que pedir.	**D**
24	*Mi esposo no me interrumpe cuando hablo, y eso me agrada.*	**B**
	Nunca me canso de recibir regalos de mi esposo.	**C**
25	*Mi esposo sabe preguntarme cómo me puede ayudar cuando estoy cansada.*	**D**
	Dondequiera que vayamos, me gusta ir con mi esposo.	**B**
26	*Me encanta acariciar a mi esposo.*	**E**
	Me encantan los regalos sorpresa de mi esposo.	**C**
27	*Las palabras de aliento de mi esposo me hacen sentir tranquila.*	**A**
	Me encanta ver películas con mi esposo.	**B**
28	*No podría pedir mejores regalos que los de mi esposo.*	**C**
	Me es imposible quitarle las manos de encima a mi esposo.	**E**
29	*Significa mucho para mí que mi esposo me ayude, a pesar de estar ocupado.*	**D**
	Me hace sentir realmente bien que mi esposo me diga que me aprecia.	**A**
30	*Me encanta abrazar y besar a mi esposo cuando hemos estado separados por algún tiempo.*	**E**
	Me encanta oír decir a mi esposo que me ha echado de menos.	**A**

A: ______ *B:* ______ *C:* ______ *D:* ______ *E:* ______

A = Palabras de afirmación *B = Tiempo de calidad*
C = Recibir regalos *D = Actos de servicio* *E = Toque físico*

Interpretación y uso de su puntuación en el Perfil

Su lenguaje primario en el amor es el que obtuvo la puntuación más alta. Usted es «bilingüe» y tiene dos lenguajes de amor primarios si los totales son iguales en dos de los lenguajes. Si la puntuación que viene en segundo lugar es cercana a la del lenguaje de amor primario, pero no igual, esto solo significa que ambas expresiones de amor son importantes para usted. La puntuación más alta posible para todos los lenguajes de amor es un 12.

Tal vez tenga una puntuación mayor en ciertos lenguajes de amor que en otros, pero no por eso eche a un lado esos otros como si fueran insignificantes. Es posible que su esposo le exprese el amor de esas formas, y le sería útil comprender esto acerca de él. De igual forma, beneficiará a su esposo el que conozca el lenguaje de amor que usa usted, y le exprese su afecto de unas formas que interprete como amor. Cada vez que usted o su esposo hablan el lenguaje del otro, se están anotando puntos emocionales el uno con el otro. Por supuesto, no estamos hablando de un juego donde se lleve anotación de los puntos ganados. La recompensa cuando hablamos cada cual el lenguaje de amor que tiene el otro, es una sensación de conexión más grande. Esto se traduce en una comunicación mejor, una comprensión mayor, y en última instancia, una mejora de la vida romántica.